JEAN D'ORMESSON

Normalien, agrégé de philosophie, Jean d'Ormesson a publié notamment *Histoire du Juif errant*, *La Douane de mer*, *C'était bien* (Gallimard), *Mon dernier rêve sera pour vous – une biographie sentimentale de Chateaubriand* (Jean-Claude Lattès), *Voyez comme on danse*, *Et toi mon cœur pourquoi bats-tu*, *Une fête en larmes* (Robert Laffont) et *Une autre histoire de la littérature*, (Nil éditions).
En 2007 : *Odeur du temps : chroniques du temps qui passe* a paru aux éditions Héloïse d'Ormesson et *La vie ne suffit pas* aux éditions Robert Laffont dans la collection « Bouquins ».

LA CRÉATION DU MONDE

DU MÊME AUTEUR

CHEZ POCKET

UNE FÊTE EN LARMES

JEAN D'ORMESSON
de l'Académie française

LA CRÉATION DU MONDE

ROBERT LAFFONT

ISBN 978-2-266-17408-4

Ἴσκε ψεύδεα πολλὰ λέγων
ἐτύμοισιν ὁμοια.

Tout en parlant, il inventait force
mensonges semblables à la vérité.

Homère
Odyssée, XIX, 203

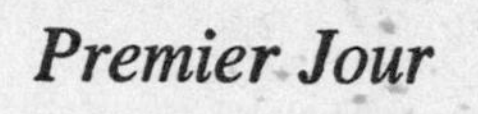

Premier Jour

Un homme de Dieu

Un manuscrit qui part très fort – Le cahier vert – Une île en Méditerranée – Quatre amis – Simon Laquedem – Difficulté d'écrire – Rêve et réalité – Portes d'ivoire et portes de corne – Un papillon chinois se demande s'il ne serait pas philosophe – Un acacia en fleur – Portrait de Proust en pompier – Un film de terreur – Le singe en culotte rouge – Si tu existes, sauve-moi ! – Sur un chemin de Toscane – Alamut et le Vieux de la Montagne – Irruption de Marco Polo et d'Omar Khayyam – Les possédés – Deux vers de Dante – Au bain ! au bain !

Je suis un homme de Dieu. Je n'y peux rien : un ange m'a touché de son aile.

Je sais : c'était un secret. Entre Dieu et moi. Je m'étais promis de ne pas parler en son nom et de garder pour moi ce qu'il m'avait confié. Mais le poids de Dieu sur mes épaules est devenu écrasant. Il y avait dans mon cœur comme un feu dévorant. Je me suis efforcé de le contenir. Je n'ai pas pu. Il ne m'est plus possible de me taire.

Un monde tourne dans ma tête. Il me fait souffrir comme un damné. Je n'ai pas d'autre choix : il faut que je raconte à quelqu'un – ou peut-être seulement à moi-même – ce que je sais des aventures de l'être et de l'ordre des choses. Je cède malgré moi à la nécessité. Les hommes se débattent dans les ténèbres. Ils ont le droit d'être instruits des mystères dont ils sont les jouets. Chaque jour, désormais, dans ce cahier d'écolier, j'écrirai quelques mots pour éclairer mes gouffres qui sont aussi les vôtres.

⁂

Je posai le cahier sur la table de pierre. Il était vert et assez épais.

— Eh bien, murmurai-je, ça part très fort.

— Et le titre ? me demanda Edgar.

— Mon Dieu..., lui répondis-je en riant. Éloquent.

Nous étions quatre dans notre île de la Méditerranée orientale. Quatre amis qui, chaque été, depuis une dizaine d'années, se retrouvaient pour huit jours, pas un de plus, pas un de moins, dans une maison blanchie à la chaux d'où la mer se devinait entre les oliviers. Préparé par Melina, le déjeuner s'achevait. Dans la cour peinte en bleu, à l'ombre du grand figuier, nous fumions les cigares distribués par André.

C'était Edgar (sans *d* : il y tient beaucoup) qui avait apporté le manuscrit. L'écriture était régulière, très propre, très lisible, avec peu de ratures, sans la moindre fioriture.

— L'écriture d'un comptable ou d'un notaire, disait Edgar avec son accent à couper au couteau, en jouant avec ses grosses lunettes d'écaille qui sont comme sa marque de fabrique et que la télévision a fini par rendre presque célèbres. Très loin de l'écriture d'un fou – et pourtant...

D'origine slovaque ou moldave, Edgar est très français. Il aime le bourgogne et le cassoulet, il est trotskiste et plusieurs fois millionnaire. Avec un mélange qui lui est propre de rudesse et de tendresse, il s'occupe surtout des enfants qui ont des problèmes et qui lèvent vers lui de grands yeux étonnés. J'en ai vu plusieurs en face de lui qui n'avaient pas l'air bien : je ne sais pas pourquoi, ils lui faisaient confiance. Il enseigne unc partic dc l'année la psychiatrie à Harvard et ses étudiants lui vouent une admiration dont les effets commencent à se faire sentir de ce côté-ci de l'Atlantique.

— J'ai pensé que ces pages pourraient vous amuser ou vous intéresser. L'auteur trompe Dieu en divulguant les recettes qui lui ont été communiquées sous le sceau du secret ; et moi, je trompe l'auteur en vous livrant son rapport qui m'a été confié dans les mêmes conditions. Si vous avez le temps, j'aimerais bien votre avis.

— Avons-nous le temps ?..., dit François. Sans épouses...

— Je n'ai pas d'épouse, souffla André avec un sourire.

— ... sans enfants...

— Pas d'enfants non plus.

— ... sans journaux, sans secrétaires, sans courrier, sans fax, sans mail, sans téléphone, sans ordinateur, sans déjeuners d'affaires ni conseils d'administration ni réunions syndicales, je ne me suis jamais senti plus occupé que dans cette île où...

— Entre deux baignades, insista Edgar. Entre deux promenades en bateau au coucher du soleil...

— Il me semble, dit André en tirant sur son cigare, que tu es plus qualifié que nous pour porter un jugement sur ce genre de factum.

— Allez vous faire foutre, dit Edgar. Même pour vous qui n'y connaissez rien...

Parce qu'il aime aussi le bordeaux, il s'interrompit un instant pour se verser un verre du pomerol que nous devions à André.

— ... Ah ! bien sûr, un fou... Qui s'intéresse à un fou ? Pas vous, en tout cas. J'ai eu tort d'imaginer que vous accepteriez peut-être, malgré votre incompétence notoire que je ne sous-estime pas, de prendre un peu de votre temps si précieux de mandarins désœuvrés pour...

— Tss..., tss..., siffla André. Le voilà déjà qui monte sur ses grands chevaux.

Edgar est brutal. Il la ramène. Il se la pète. C'est une grande gueule. André est distingué. Très distingué. Grand, subtil, discret, élégant, intelligent. Bien sous tous les rapports. Beaucoup moins intelligent qu'Edgar, naturellement. Et beaucoup plus habile. ENA, pantouflage, Salines du Midi, Lyonnaise des Eaux, Société Générale. Et retour au service de l'État et à la politique. Ami de Giscard, ministre de ci ou de ça sous Mitterrand et Chirac. Tout le monde le dit, le plus souvent avec ironie : très fin. Et terriblement cultivé. Entre Edgar et lui, l'amitié, très réelle, est faite surtout d'escarmouches.

— Donnez-moi ça, coupa François.

Il feuilleta le cahier.

— À peine une centaine de pages. Je propose que, chaque jour, à tour de rôle, nous en lisions à haute voix, en une fois ou en deux, une douzaine de feuillets...

François aussi est très intelligent. C'est sa profession : voilà six ans qu'il occupe au Collège de France une chaire de physique mathématique appliquée aux sciences de la vie et qu'il ne le laisse pas ignorer. Toujours habillé à la va-comme-je-te-pousse, il est simple et charmant. Il crie sur tous les toits que la science est l'avenir de l'homme et il ajoute volontiers, avec un bon sourire, qu'il l'incarne mieux que personne.

— ... Si c'est trop bête, mon cher Edgar, tant pis pour toi : nous arrêterons notre lecture, nous nous moquerons de toi, nous te traînerons dans la boue et nous irons nous baigner, le sarcasme à la bouche. Je commence.

Nous nous mîmes tous à rire et à applaudir bruyamment. Alors, reprenant à l'endroit même où je m'étais arrêté, François entreprit de lire à haute voix le manuscrit apporté par Edgar.

***

Je m'appelle Simon Laquedem. J'ai trente-trois ans. Je vis seul aux Buttes-Chaumont. Ma vie est terne. Il n'y a que le travail pour l'occuper. Je suis archiviste-paléographe. Je me présente. Je ne compte pas. Je n'intéresse personne. Pas même les filles. Je ne dirai rien de moi. Dieu m'a parlé chaque nuit. Je ne suis qu'un instrument dans la main du Seigneur.

Tout a commencé, il y a un peu moins de deux ans, dans une nuit brûlante du début de l'été. Il avait fait très chaud toute la journée. Le soir, j'étais allé boire de la bière dans une brasserie avec deux ou trois amis. La nuit, j'ai eu un rêve.

Je ne suis pas écrivain. J'ai lu pas mal de livres. Ils m'ont appris une chose : écrire est très difficile. Se souvenir de ses rêves et les mettre par écrit est plus risqué encore. Je le sais comme tout le monde : les rêves ne se confondent pas avec la réalité. Ils sont moins solides. Ils sont flous, contradictoires, absurdes, au bord de l'inexistence. Ils sont insaisissables. Ils s'évanouissent très vite. Mon rêve de la nuit du 22 au 23 juin était plus vrai que la vie.

C'était un rêve d'angoisse. Dans un grand espace vide, j'étais seul et perdu. Je souffrais. J'avais peur. Peur de quoi ? Je l'ignorais. J'avais peur. Des gens passaient autour de moi. Ils portaient tous des masques. Et ils étaient des ennemis. Malgré leur absence de visage, j'en reconnaissais quelques-uns. Les autres m'étaient inconnus. Des voix se croisaient, inaudibles. Une foule finissait par envahir la scène. Et plus il y avait de monde, plus je me sentais isolé. Mon cœur se tordait. Tout n'était que menace. Je pleurais, je me jetais à genoux, je me traînais par terre. Il y avait des couteaux, des machines infernales, des animaux terrifiants. Du sang coulait à flots. Les gens s'éparpillaient. Je me retrouvais tout seul, en larmes, entre de hauts murs gris. Imprécise et vague, la douleur devenait très forte. Une voix claire disait :

— Voilà.

Je me réveillai en nage. Toute la journée, mon rêve m'a poursuivi. Je ne connais pas grand monde : j'en parlais aux amis avec qui je cassais la croûte, j'en parlais aux collègues qui travaillent avec moi. Ils riaient, ils se moquaient de moi, ils me tapaient sur l'épaule, ils me payaient à boire. Le pire était à venir.

Le soir, je me suis couché rompu. Et le rêve a recommencé. D'ordinaire, je rêve très peu. Ou je ne me souviens pas de mes rêves. Impossible, cette nuit-là, d'échapper à un rêve plus dur et plus cruel que la réalité, impossible, le matin, d'oublier ses images : il avait repris exactement au point où le rêve de la veille m'avait laissé pantelant.

Il s'ouvrait sur la voix qui m'avait dit :

— Voilà.

J'étais à terre, étendu de tout mon long, terrifié, solitaire. Des choses atroces se passaient – et je ne savais pas quoi. Je voulais me réveiller, et je ne le pouvais pas. La victime des enchantements était un autre que moi, et c'était toujours moi. L'obscurité régnait sans le moindre rayon de lumière. Je gémissais de plus en plus fort pour tâcher d'échapper à la malédiction et revenir à quelque chose qui ressemblât au jour. Je n'y parvenais pas. Je criais : « Pitié ! pitié ! » et personne ne me répondait. Une voix silencieuse et distincte m'interdisait de rien dire de ce qui m'arrivait. J'essayais désespérément de faire surgir d'autres personnages pour m'accompagner dans l'épreuve. Je me souvenais dans mon rêve de mon rêve précédent et j'appelais au secours quelques-unes des figures masquées qui m'avaient tourmenté la nuit d'avant. J'étais si malheureux et si seul que j'aspirais à leur retour. Mais assassins et bêtes sauvages n'avaient même plus le droit d'apparaître dans mon malheur redoublé. J'étais non seulement la victime, mais aussi le seul acteur du désastre qui m'accablait. Je me disais : « Le jour va revenir. » Et il a fini par revenir. Je me suis réveillé plus brisé que la veille.

J'ai repris mon travail. Je ne parlais plus à personne. Je me taisais. J'ai des voisins de quartier ou de bureau qui sont devenus des amis. Je les rencontre dans l'escalier, je les rencontre dans le métro. Il nous arrive parfois d'échanger quelques mots. Je ne sais pas grand-chose d'eux, mais je connais leur visage et ils connaissent le mien. Ils me disaient :

— Qu'est-ce qui se passe, Simon ? Vous avez l'air fatigué, vous n'avez pas bonne mine.

Je répondais :

— J'ai mal dormi.

Un sentiment nouveau s'emparait de moi dans ma vie quotidienne, si régulière, si protégée : c'était la peur. La même peur que j'avais ressentie dans mes deux rêves successifs qui n'en faisaient plus qu'un seul. J'enviais l'indifférence des gens que je croisais dans la rue. Je me demandais en secret si chaque nuit, en m'endormant, j'aurais de nouveau rendez-vous avec mes songes de terreur.

Je rentrai chez moi le soir ravagé par l'angoisse. Je m'étendis sur mon lit cherchant le sommeil et le fuyant. Cette nuit-là, je dormis d'une seule traite et sans rêve, dans le calme le plus parfait. Les trois nuits suivantes furent tout aussi reposantes. Je me rassurais peu à peu. La malédiction s'éloignait. Elle n'était rien d'autre qu'un incident.

La septième nuit fut la bonne – ou plutôt la mauvaise. Le fil noir se renoua. Avec une précision confondante. À nouveau, le cirque habituel et hagard : mystère, ténèbres, angoisse à tordre l'âme, et la mort en train de rôder. À nouveau, l'enchaînement, sans la moindre rupture, des épisodes successifs. Une autre logique était à l'œuvre. Elle était absurde et nécessaire. Et elle me détruisait. Je me réveillai avec soulagement – et avec une terreur croissante. Je voyais le moment où j'allais mener deux vies en alternance régulière, aussi sinistres l'une que l'autre : une vie du jour, une vie de la nuit.

Ma vie du jour était pourrie par ma vie de la nuit. Dès le matin, libéré des images de mes songes qui n'en faisaient plus qu'un seul, j'attendais en tremblant le retour inévitable du coucher de soleil. Dans mon sommeil atroce, je savais obscurément que le soleil finirait bien par se lever. À quoi bon ? Tout le long de la journée, je me répétais avec désespoir que la nuit, à son tour, allait finir par revenir.

Les songes sont des songes parce qu'ils se dissipent et s'évanouissent. S'ils ne s'évanouissaient plus, s'ils reprenaient sans fin, avec une précision sans faille, là, exactement, où ils m'avaient abandonné, comment allais-je distinguer les deux mondes successifs qui se partageaient mon existence : le monde du rêve des jours que nous appelons réalité et le monde, à peine plus irréel, des rêves de la nuit ? À la façon de ces personnages qui se succèdent aux horloges des vieux beffrois, l'un entrait en scène lorsque l'autre en sortait. Les portes d'ivoire et les portes de corne par où passent les rêves et la réalité, et dont Homère parle quelque part, se confondaient à mes yeux.

— *Odyssée*, chant XIX, vers la fin, dit André.

— C'est un fou, dit François, mais c'est un fou savant.

— Vous aurez reconnu, dit André, l'histoire assez fameuse d'un philosophe chinois dont j'ai oublié le nom. Il rêve qu'il est un papillon et il se demande s'il ne serait pas plutôt un papillon en train de rêver qu'il est un philosophe.

— Je crois, dit Edgar, qu'il s'agissait de Tchouang-tseu.

— Bravo, dit François avec une ombre d'impatience. Trêve de culture et de citations. Je reprends.

Nuit après nuit, jour après jour, j'entrais dans mon cauchemar aux rythmes alternés. J'ai une bonne santé, je me porte plutôt bien. De temps en temps, des migraines. Parfois, de vagues dépressions. Je me disais que chacun, autour de moi, avait son lot de souffrances. Mon malheur à moi était une vie nocturne agitée. Il n'y avait pas de quoi s'énerver. J'allais m'habituer. Peut-être fallait-il me soigner ? Un médecin de famille me prescrivit des remèdes. Un ami me donna des pilules qui faisaient des miracles. Le mélange ne fut pas heureux. Les choses empirèrent plutôt. Une nuit, pourtant, au bout de deux semaines d'oppression, ou peut-être un peu plus, il y eut enfin du nouveau.

Les rêves de terreur et d'angoisse s'étaient enchaînés comme d'habitude, avec rigueur et précision. Soudain, au sein même des ténèbres, apparut une lumière. Je me jetai vers elle. La paix l'accompagnait. Je me souviens de la joie qui s'empara de moi. Jamais, tout au long de ma vie diurne, je n'avais éprouvé pareille félicité. Je séchais mes larmes. Je ressuscitais. L'envie me venait de remercier je ne savais trop qui. Ma nuit était plus claire que vos jours. Je me réveillai désolé de voir se lever un soleil que, durant tant de ténèbres, j'avais tant espéré.

La journée fut légère. L'été était là. Les oiseaux chantaient dans les Buttes-Chaumont. Un acacia fleurissait et faisait une tache blanche dans la ville. Mes collègues, qui commençaient à s'inquiéter et à chuchoter dans mon dos, me félicitaient :

— Ah ! enfin ! Tu vas mieux. Tu as changé de visage.

Je reprenais des forces. Toute la journée, j'attendis le soir avec beaucoup d'impatience. Je me demandais si mon bonheur allait revenir et se prolonger. Je me couchai enchanté, confiant, vaguement inquiet. Mon rêve de lumière s'imbriqua avec exactitude dans mes délices interrompues. Et il s'épanouit comme une fleur desséchée par le vent qui reprend vie sous l'eau dont elle est arrosée, comme un de ces matins de printemps où le brouillard se dissipe pour laisser place au soleil. Le décor avait changé. Les murs s'étaient abattus. Je marchais éperdu dans un jardin qui naissait sous mes pas. Des fontaines jaillissaient. Des arbres montaient vers le ciel. Des enfants jouaient sur des pelouses parcourues d'allées de sable entre des haies de buis. Des jeunes gens et des jeunes filles se promenaient bras dessus, bras dessous ou lisaient assis dans l'herbe. Un grand calme régnait sur les êtres et les choses. Pour la première fois depuis assez longtemps, j'étais enfin heureux.

C'est vers cette époque-là que, débarrassé de l'angoisse qui me paralysait, je pris l'habitude de noter dans un carnet l'essentiel de mes rêves. Ce carnet, je le feuillette en écrivant ces pages. J'ai assez l'habitude des textes pour savoir les soupçons que peut entraîner cette méthode. Le matin, en transcrivant mes rêves, ne les transformais-je pas ? N'y avait-il pas un risque de les inventer en croyant m'en souvenir ? Leur cohérence, leur logique, leur enchaînement régulier ne venaient-ils pas de moi – je veux dire de moi éveillé ? Je me suis beaucoup interrogé sur cette possible alchimie. Peut-être parce que mes rêves si sombres n'étaient plus qu'un souvenir, je prenais un peu de distance avec cette vie de la nuit qui doublait ma vie du jour.

Dans l'angoisse ou dans la paix, mes rêves, je le comprenais enfin, étaient différents de la vie de chaque jour. Il y avait dans le monde réel un foisonnement d'événements, une profondeur de champ qui faisaient défaut dans mes rêves. Le matin, quand je quittais mon trois pièces, j'allais acheter le journal, j'évitais les voitures qui roulaient dans les rues, je montais dans le métro, mes collègues me parlaient du cancer de leur belle-mère ou du mariage de leur fille, et je passais chez le coiffeur me faire couper les cheveux. Et, au loin, les Arabes, les Chinois, les Indiens, le cinéma américain, la Bourse de Francfort ou de Londres, les clubs de football et le Sacré Collège poursuivaient leur carrière. Le grand cirque du monde battait son plein autour de moi. Mes rêves, eux, ne s'ouvraient pas sur autre chose. Ils étaient bloqués sur eux-mêmes. Ils ne faisaient pas de projets. Le monde était une aventure. À quoi servaient les images qui me venaient dans mon sommeil ? En dépit de leur enchaînement, elles étaient comme les nuages dans le ciel, comme des grains de sable emportés par le vent : elles n'avaient pas le moindre sens.

Ainsi raisonnais-je dans la clarté du jour. La nuit, l'autre logique m'emportait. Le monde de mon sommeil se suffisait à lui-même. Je me promenais dans mes jardins, je volais dans les airs, je me jetais nu du haut d'une tour pour atterrir en douceur sur des parterres de fleurs ou dans une barque chargée de coussins, je me retrouvais entre ma mère et Marcel Proust déguisé en pompier qui me couvrait de cattleyas. Tout se déroulait avec suavité, sans grippe, sans impôts, sans administration, sans les flots de nouvelles et de papier qui polluent notre époque, sans fatigue et sans travail. « Eh bien, me disais-je en me réveillant, il se trouve que j'ai deux vies. L'une est la vie de tout le monde, l'autre n'appartient qu'à moi et elle n'est pas déplaisante. Je serais bien sot de m'en plaindre. » Mes rêves étaient mes vacances. Inutile de le nier : j'étais un peu à part. Je n'étais pas mécontent.

Un soir, il arriva encore autre chose. J'étais allé au cinéma voir un film de Woody Allen. C'était *Zelig*. Il ne casse pas trois pattes à un canard et, rapide, ironique, plus malin que beaucoup d'autres, il m'avait amusé. Je rentrai chez moi plutôt pimpant. Il ne faisait pas trop chaud. Je me sentais bien. Je me couchai de bonne humeur, me réjouissant d'avance de la nuit qui m'attendait. Et je m'endormis.

La séquence de la veille s'était close sur une conférence que je prononçais dans une piscine sur un sujet dont je n'avais pas la moindre idée. Y passaient des oies sauvages et la silhouette d'Alcibiade aisément reconnaissable à des cascades de roses qui lui tombaient de la tête. Les applaudissements m'avaient réveillé. Ils reprirent au moment même où le sommeil s'emparait de moi. Tout se déroula ensuite comme d'habitude. La fraîcheur, l'agrément, une légèreté délicieuse et absurde, un bonheur de tous les instants. Jusqu'au moment où, débarqués d'une charrette traînée par des dragons et par des chauves-souris, trois imperméables sans visage qui portaient des chapeaux me mirent des couteaux sous le nez et me jetèrent dans une salle obscure où je reconnus aussitôt le décor de mes terreurs dissipées.

Les murs gris à nouveau s'élevèrent autour de moi. Le soleil disparut. J'étais retombé dans les nuits de l'angoisse. En pire. Le mal n'était plus diffus : il me prenait pour cible. Des instruments de torture étaient répandus un peu partout. Il y avait un chevalet, un échafaud, une potence, un fax avec une pancarte :

DANGER,

un ordinateur, des cordes jetées dans un coin, un épieu très effilé avec des traces de sang, des pinces chauffées à blanc dans un brasier de fortune. Un squelette se balançait à une poutre où était assis un petit singe qui mangeait des cacahouètes. Une voix disait :

— C'est pour toi.

Les trois imperméables se prenaient par la taille, levaient la jambe en cadence et chantaient une chanson :

Nous sommes les tueurs,
Les miliciens, les nettoyeurs.
L'erreur ! l'erreur ! l'erreur !
Nous combattons l'erreur,
L'erreur est une horreur.
Nous combattons l'horreur
Par la terreur.

Je le compris aussitôt : quelque chose d'inouï était en train de m'arriver : j'allais mourir.

Ils se déplaçaient très lentement, s'occupant peu de moi, préparant leurs instruments. L'un, l'air absent, faisait coulisser une corde dans une poulie fixée à la poutre où siégeait le macaque ; l'autre, un nabot, soufflait sur les braises où reposaient les pinces.

— Nous avons des ordres, dit le troisième. Ça va être un peu long.

Comme dans les films de terreur, ils n'avaient pas l'intention de me tuer tout de suite. Ils prenaient leur temps. Ils travaillaient au ralenti. Le nabot mit des gants à fleurs pour s'emparer des pinces.

— Ça brûle, me dit-il.

Il s'avança vers moi. Les deux autres prirent une corde et me ligotèrent sur le chevalet.

Le singe sauta de sa poutre. Il portait une culotte rouge.

— C'est pour le sang, me dit-il en clignant de l'œil.

Et il me tendit une cacahouète. Les trois imperméables ricanèrent sous leurs chapeaux.

Je sentis la chaleur des pinces sur mon visage coincé contre le chevalet. « C'est le moment, me dis-je, d'avoir un peu de courage. » Que faire ? Recommander mon âme à Dieu ? « Comme c'est bête, pensai-je très vite, qu'il n'y ait pas de Dieu. S'il existait, il me sauverait. » Et je m'écriai d'une voix forte :

— Si tu existes, sauve-moi !

Il se fit une grande lumière. Les murs tombèrent. Les imperméables sous leurs chapeaux, le singe dans sa culotte rouge, les instruments de torture disparurent d'un seul coup. Je me retrouvai dans un paysage de collines qui se situait, comment le savais-je ? je ne le sais pas, mais je le savais, en Toscane ou en Ombrie. Je marchais sur un chemin de terre entre des vignes et des oliviers. J'apercevais des cyprès, les tours, au loin, d'une petite ville, un monastère sur une hauteur. Le soir s'annonçait déjà. L'air était transparent. Quelque chose de doux qui ressemblait à la paix tombait du ciel sur la terre. J'étais transporté de bonheur.

Une voix s'élevait. Je la connaissais. Elle me disait :

— Tu es à moi depuis toujours. Tu es à moi pour toujours. Je fais de toi ce que je veux.

***

— « Je fais de toi ce que je veux... », répéta Edgar en nous regardant.

— Alamut, dit André.

— Oui, bien sûr, dit Edgar. Alamut. J'y ai pensé aussitôt.

— Alamut ?..., demanda François.

— Alamut, dit Edgar. Vers l'extrême fin du XIe siècle et le début du XIIe, au temps de la première croisade, s'élevait sur un piton escarpé du Caucase, au sud-ouest de la Caspienne, au nord-ouest de l'Iran, une forteresse réputée imprenable : Alamut. Son maître, Hassan ibn al-Sabbah, était le chef d'une secte religieuse et guerrière qui appartenait à la frange la plus dure de l'islam chiite. Plus connu sous le nom de « Vieux de la Montagne » qu'il avait rendu illustre et redoutable des rivages de la Méditerranée aux confins de la Chine et de l'Inde, Hassan s'opposait avec violence et s'alliait tour à tour, selon les circonstances et les besoins de sa situation, aux envahisseurs francs, à ses frères ennemis, les musulmans sunnites, ou aux Turcs Seldjoukides qui occupaient le Khorassan, le Kharezm, la Perse, le califat de Bagdad, une bonne partie de l'Anatolie et de l'Asie Mineure. Les ressources considérables en hommes et en matériel dont disposaient ses adversaires lui faisant défaut, il maniait avec férocité une arme qu'il avait mise au point dans les moindres détails : l'assassinat.

— Très intéressant, dit François, mais...

— Recrutés en Syrie, en Égypte, en Arabie, en Perse, quelques centaines de jeunes gens entre douze et trente ans lui étaient dévoués corps ct âme. Un par un ou parfois en groupes de deux ou trois, déguisés en ascètes ou en marchands, il les envoyait tuer ceux qui gênaient ses desseins et il régnait par la terreur. Les préparatifs des crimes se faisaient dans le plus grand secret, mais les meurtres eux-mêmes étaient accomplis en public et, pour mieux frapper les esprits, au cœur de foules aussi nombreuses que possible. Ces expéditions constituaient autant de missions de sacrifice et, appelés *fedayin*, c'est-à-dire « commandos-suicide », les kamikazes du Vieux de la Montagne aspiraient à la mort avec une sombre résolution qui épouvantait les croisés, les sunnites et les Turcs.

— Eh bicn, dit François, voilà, j'imagine, une des racines du terrorisme moderne. Le terrorisme d'État, dont nous avons connu les fruits amers avec Staline et Hitler, a pour ancêtres Caligula, Néron, Commode et quelques autres de la même farine, Tsin Che

Huang-ti, Gengis Khan, les Aztèques, l'Inquisition, Robespierre, Saint-Just, le Comité de salut public. Le terrorisme intégriste d'Oussama ben Laden, lui, me semble descendre en droite ligne de votre Hassan ibn al-Sabbah. Mais où est le rapport avec... ?

— Attends un peu, dit André. Savez-vous que la légende de Hassan doit beaucoup à Marco Polo ? Sur sa route vers la Chine et la cour de Cambaluc – aujourd'hui Pékin – où règne Kubilaï Khan, le jeune Marco Polo, alors âgé de dix-huit ans, qui a quitté Venise un an et demi plus tôt avec son père Niccolò et son oncle Matteo, passe par Alamut en 1273. Hassan ibn al-Sabbah est mort depuis un siècle et demi. Et la forteresse d'Alamut elle-même a été prise et détruite il y a déjà quinze ans par le petit-fils de Gengis Khan, le frère de Kubilaï, Hulagu, qui, quelques mois plus tard, fait subir le même sort à Bagdad, la plus grande et la plus belle ville du monde de ce temps-là, après Constantinople.

Ce sont des ruines que visite Marco Polo. Mais le souvenir de la forteresse est encore très vivant. Et, comme toujours, l'imagination du Vénitien galope à toute allure. Il relève en esprit les murs abattus, il ressuscite le passé. Il est coutumier de ce genre d'audace. Dicté par Marco Polo à un compagnon de langue d'oïl dans la prison de Gênes où ils sont détenus tous les deux, son livre, *Le Devisement du monde* ou *Le Livre des merveilles du monde*, a été surnommé *Le Million* par ses compatriotes vénitiens, tant les exagérations, les déformations, les inventions même y paraissent énormes et nombreuses. C'est de la relation de Marco Polo que date – trois siècles avant Tivoli, quatre siècles avant Versailles, six siècles avant *Parsifal* et le jardin enchanté de Klingsor, inspiré à Wagner par le jardin de la Villa Rufolo à Ravello – la description du jardin paradisiaque d'Alamut.

Sous un ciel presque toujours pur...

— Un microclimat, j'imagine, marmonna François.

— ... ce jardin de montagne était un jardin des Mille et Une Nuits. Il s'étageait sur sept terrasses successives, réunies par des escaliers bordés de statues d'animaux fabuleux. Entre des murs de pierre qui alternaient avec des murs de buis, l'eau, si rare dans les déserts où vivaient beaucoup de musulmans, ruisselait de partout. À l'ombre des cèdres, des cyprès, des pins de toute espèce, le murmure des fontaines se mêlait au chant des oiseaux. Sur la moindre parcelle de terre, entretenus par des jardiniers venus de Damas et de Bagdad, poussaient des jasmins, des narcisses, des anémones rouge sang, des violettes, des fleurs de grenadier qui donnaient au jardin ses couleurs et son éclat. Pavée de marbres blancs et noirs, la dernière terrasse du bas était occupée par un bassin d'albâtre orné de quatre lions en or rouge qui faisaient jaillir l'eau de leurs gueules en pierreries et en perles. Tout autour se pressaient des daims, des paons, des perruches, des colombes qui étaient empêchées de s'envoler hors du palais par un large filet tendu au-dessus de la forteresse. Sur le miroir de la pièce d'eau glissaient lentement entre les nénuphars deux paires de cygnes blancs et noirs.

— N'exagérons pas à notre tour, dit François qui cachait mal son impatience. Si nous passions à autre chose ?

— Pas encore, dit André. Pas tout de suite. Le plus beau reste à venir. Dans les hautes salles du palais, couvertes de carreaux de porcelaine où dominaient le bleu, le vert et l'or et où s'entrelaçaient fleurs et feuillages, semées de tapis somptueux, tissés par les artisans de Bagdad, d'Alep, de Samarkand, de Boukhara, se succédaient des divans couverts de mousselines blanches, de brocarts de Damas, de gazes de Mossoul, d'étoffes de soie qui venaient d'Homs ou de Chine. Sur des tables basses en ébène, incrustées de parcelles d'or et entourées de sièges sculptés en bois d'aloès et en bois de santal, étaient déployés, à longueur de jour et de nuit, les plats les plus délicieux et les boissons les plus exquises. Et surtout, surtout, d'innombrables vases, aux formes toujours élégantes et parfois d'or ou d'argent, coulait à flots plus de vin enivrant que n'en chantait, précisément en ce temps-là, à la cour des Seldjoukides et pour Hassan lui-même qui était son ami, le grand Omar Khayyam.

— Je crains, bougonna François, que nous ne nous éloignions beaucoup de Simon Laquedem, de son manuscrit et de ses rêves...

Edgar jeta son cigare dans une vasque de pierre et agita les bras qui tenaient ses lunettes.

— Pas du tout ! s'écria-t-il. Nous sommes au cœur du problème.

— Au cœur du problème ? dit François. Quel problème ?

— La possession, dit Edgar.

— La possession ?..., bredouilla François.

— La possession, reprit André. Tu sais bien : les possédés... Simon Laquedem m'a tout l'air d'un possédé. Les hôtes d'Alamut étaient aussi des possédés. Et il faut que tu le saches : parmi les éléments de l'opéra sanglant monté par Hassan pour s'emparer de l'esprit de ses fidèles, il y avait encore autre chose que la forteresse, ses jardins, ses splendeurs, la somptuosité de ses banquets, ses boissons enivrantes et les poèmes d'Omar Khayyam.

— Encore autre chose ? demanda François soudain intéressé. Et quoi donc ?

Edgar éclata d'un grand rire.

— Les houris, dit-il. Elles étaient circassiennes, géorgiennes, égyptiennes ou persanes. Plusieurs étaient ouïghoures, kalmoukes, kirghizes, chinoises ou indiennes. Deux ou trois étaient japonaises. Il y avait même une Vénitienne et une Andalouse.

Vêtues de robes toujours nouvelles, de mousseline, d'organdi ou de soie brodée d'or, parfumées à l'ambre et à la rose, elles dansaient, chantaient, jouaient du luth ou de la harpe, de la flûte, de la cithare, du tambour à grelots et de tous les instruments du plaisir. Et quelques-unes, et non des moindres ni des moins désirées, ne faisaient rien d'autre que d'être expertes en caresses. Dans les rires et le bruissement des soieries et des gazes, les envols de houris sur les escaliers des terrasses ou sous les arcades du pavillon de musique constituaient un spectacle auquel personne – ni surtout de jeunes hommes dans toute la force de l'âge – ne pouvait résister et les hôtes de Hassan passaient entre leurs mains, au hammam, aux bains, dans l'ombre propice des divans, au fond des lits cachés sous des rideaux de satin, des journées et des nuits de rêve. Pour une durée assez brève : aucun ne restait plus d'une dizaine de jours dans les délices d'Alamut. C'était un renouvellement continuel et comme un songe de volupté sans cesse interrompu.

— Je ne vois toujours pas..., dit François.

— Les fedayin, ajouta André, arrivaient à Alamut et en repartaient assommés de haschisch et d'autres drogues similaires. Ils commençaient par dormir pendant trois jours. Quand ils se réveillaient dans le jardin enchanté, au milieu des houris, ils se croyaient au paradis. Durant cinq ou six jours, ils jouissaient de tous les plaisirs que leur prodiguait le Vieux de la Montagne. Au terme de cet éclair de brève félicité, ils étaient renvoyés d'où ils venaient ou sur les fronts où Hassan poursuivait son combat, le plus souvent en Syrie, à Bagdad et en Perse. Le Maître n'avait pas de mal à se faire passer auprès d'eux pour un magicien qui leur avait ouvert pour quelques heures les portes du paradis d'Allah. Et il leur enseignait qu'il leur suffirait de mourir en combattant pour y retourner à jamais. Le secret de leur courage et de leur indifférence à la mort était dans le haschisch. C'est pour cette raison que les fedayin de Hassan étaient appelés haschaschin, d'où vient notre mot *assassin*.

— Ah ! dit François.

— Un siècle et demi après Hassan ibn al-Sabbah, dit André, c'est Dante qui fait entrer définitivement le terme d'assassin dans notre vocabulaire littéraire. Au livre XIX de *L'Enfer* de sa *Divine Comédie*, il se dépeint lui-même en moine en train d'exhorter un atroce assassin :

Io stava come il frate che confessa
Lo perfido assassin...

— Ah ! répéta François.

Edgar but encore un coup, s'empara d'un autre cigare que lui tendait André, l'alluma et prit son ton de professeur.

— Les différences ne manquent pas entre les haschaschin et Simon Laquedem. Les haschaschin sont drogués et notre Simon Laquedem se contente de rêver. Les uns sont manipulés par le Vieux de la Montagne, l'autre se voit comme un jouet entre les mains de Dieu. Crimes et terreur d'un côté, délire et folie douce de l'autre. Mais l'éternité les rapproche : ils ont tous entr'aperçu quelque chose de sa splendeur et de sa puissance infinies et ils s'abandonnent aveuglément à sa sainte volonté. Ils sont tous des possédés. Dès que j'ai jeté un coup d'œil sur ce cahier, le nom d'Alamut m'est venu à l'esprit.

— Moi aussi, dit André à François, en t'entendant

lire les pages de Simon Laquedem – « Je fais de toi ce que je veux » –, j'ai pensé à Hassan et à ses haschaschin.

Le soleil se couchait. C'était l'heure délicieuse qui s'évanouit si vite.

— Alerte ! m'écriai-je. Il n'y a plus une minute à perdre. Au bain ! au bain !

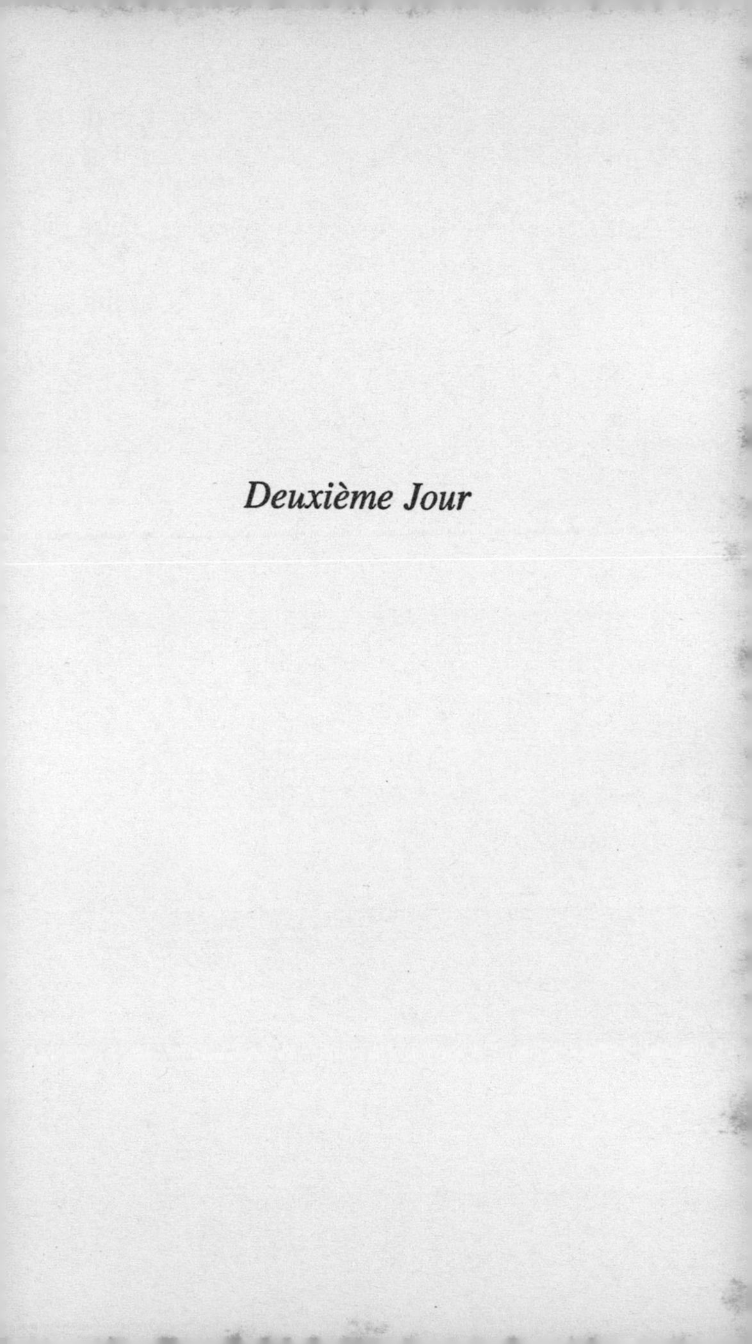

Deuxième Jour

La mission

Le bain du matin – Une mystification ? – Apparition d'un ange – Abraham et Moïse ne faisaient pas tant d'histoires – Un mot de Sartre – La grâce descend sur un médiocre – Un confrère de Gabriel – Petit précis d'angélologie – Relents de la Kabbale et du Zohar – Un cas de folie des grandeurs – Combat des hommes contre Dieu – Coursier du Seigneur – Le retard de Grouchy enfin élucidé – Mort d'Alaric aux bords du Busento – Les tièdes sont odieux au Seigneur – Personne ne peut voir Dieu – Une ténébreuse lumière – Nous votons.

— J'ai réfléchi, dit François. Tout ça sent la mystification.

Un jour glorieux s'était levé sur l'île. Une fois ou deux, en dix ans, au cœur de l'été, nous avions eu de la pluie. Et souvent, selon la règle, le meltem avait soufflé avec force. Cette année, le soleil brillait dans un ciel sans nuages et sans un souffle de vent. Nous nous étions levés de bonne heure et nous étions descendus tous les quatre vers la plage de sable, entre les rochers, en contrebas de la maison. Nous avions pris ce bain du matin qui est de loin le meilleur et nous étions remontés chez nous à l'heure où la chaleur devient insupportable. De retour dans notre cour, à l'ombre du figuier, autour des mezze et d'une carafe d'ouzo, nous parlions de choses et d'autres, de notre vie privée et professionnelle, des universités américaines et d'Harvard où Edgar passait la moitié de son temps, du Paris des médias familier à André. Edgar venait de se marier pour la quatrième fois avec une Vietnamienne de trente ans plus jeune que lui. La femme de François se faisait opérer d'une arthrose de la hanche. Député-maire de Saint-Chély-d'Apcher – la formule nous enchantait tous les trois –, André nous annonçait son intention de se faire élire à ce qu'il appelait la Haute Assemblée, c'est-à-dire au Sénat.

— Ringard, disait Edgar qui portait une chemise à fleurs rouges et orange outrageusement tahitiennes.

— Mais si commode, répondait André. Et plus sérieux que tu ne le crois.

— Et notre homme de Dieu ? demandait Edgar. Est-il sérieux, celui-là ?

C'est alors que François avait parlé de mystification.

— Mystification ? dit Edgar. C'est possible... Oui, c'est possible... Mais je n'en suis pas sûr. La folie mystique est l'une des plus répandues. Il n'est pas exclu que notre homme soit sincère et qu'il raconte ce qu'il a vu – ou ce qu'il a cru voir...

— Cette histoire de rêves qui se succèdent avec continuité au sein de l'incohérence n'est pas très plausible..., dit François.

— C'est là-dessus, notamment, que je voulais avoir votre avis, dit Edgar. Et d'ailleurs aussi sur tout le reste...

— Si nous reprenions notre lecture ?..., proposa André.

— Vas-y ! dit François avec une ombre d'humeur en prenant le cahier et en le tendant à André. C'est ton tour. Nous en étions restés à la phrase : « Je fais de toi ce que je veux. » Elle vous a fait pousser des cris de putois : « Alamut ! Alamut ! »

— Bon ! dit André. Je m'y colle.

Et, ouvrant le cahier à la page où nous nous étions arrêtés, il se mit, avec moins d'hésitations que François, avec un peu plus d'emphase peut-être, à lire d'une voix claire.

*
* *

[illegible]

Le messager de Dieu m'est apparu dans mon sommeil du lendemain. Le début de la nuit avait de nouveau été rude. C'était encore autre chose : une bataille entre le bien et le mal, entre la lumière et les ténèbres, entre l'horreur et la paix. J'étais la frange fragile entre les deux armées. J'oscillais, je me débattais, je tombais dans un camp ou dans l'autre. Quand les puissances de la nuit l'emportaient, les trois imperméables sans visage entourés de chauves-souris, de dragons, de rats aux yeux de ténèbres, du singe à culotte rouge se jetaient sur moi avec fureur. Deux fois, j'avais réussi à leur échapper et à me réfugier du côté opposé, deux fois j'avais été repris. Moi non plus, je n'avais pas de visage : j'étais devenu une sorte de notion abstraite qui n'était plus capable que de souffrir.

L'ange entra en scène. La violence s'apaisa. Quand je dis un ange... Ce n'était pas un ange. Qu'étiez-vous donc, mon ange de lumière et de paix ? Vous étiez la paix. Vous étiez la lumière. Vous n'aviez pas d'épée, vous n'aviez pas d'ailes attachées aux épaules. Non.

Vous n'aviez même pas de forme, vous n'aviez pas de figure. Vous étiez une lumière et vous étiez une voix.

Oh ! comme je l'entendais, cette voix, résonner dans mon cœur ! Elle était douce et forte. Elle dissipait les terreurs. Elle ordonnait le tumulte. L'horreur s'évanouissait. Un silence sans nom succédait à l'angoisse. La voix était silence et disait :

— Simon, je suis l'ange du Seigneur.

Je cherche à me rappeler. Tout était si évident. Tout était si calme, et surtout si évident. L'ange était là, tout près, invisible et présent. Des larmes me venaient aux yeux. C'étaient des larmes de bonheur.

— N'aie pas peur, disait l'ange. Le Maître m'envoie à toi.

Il me semblait rêver. J'aurais dû répondre quelque chose. Je ne le pouvais pas. Aucun son ne sortait de ma gorge d'angoisse. Je me réveillai. Le lendemain, dans la nuit, l'ange était de retour. Je me jetai à ses pieds.

— Je suis venu pour toi, me dit-il. Le Seigneur t'a choisi.

— Il m'a choisi ! bredouillai-je.

— Entre tous, me dit-il. Tu seras un homme de Dieu.

La foudre me tombait sur la tête.

— Pourquoi moi ? m'écriai-je. Je ne suis rien. Je n'ai rien accompli. Je ne sais rien. Et j'ai peur. Écarte de moi ce calice qui n'est pas fait pour moi.

Le singe en culotte rouge sauta en ricanant sur l'absence d'épaule de l'ange.

— Tu n'es rien, c'est vrai, dit l'ange en se

secouant pour faire tomber le singe. C'est pourquoi Dieu t'a choisi. Il rabaisse les puissants, il exalte les plus humbles. Arbitraire et toute-puissante, injuste aux yeux des hommes, plus juste que la justice, la grâce du ciel est descendue sur toi.

Je passais la main sur mon front.

— Ce n'est rien, me disais-je. Je rêve. Demain, le rêve sera passé.

— Tu as encore raison, me dit l'ange qui avait entendu les mots que je n'avais pas prononcés. Je peux toujours m'effacer.

À l'instant même, un tourbillon de dragons, de rats, de chauves-souris s'abattit sur la scène dans un vacarme d'enfer. Le singe se posa en sifflotant sur ma tête, un marteau à la main. Et, sous mes yeux épouvantés, les trois imperméables se remettaient déjà à danser et à chanter :

Nous combattons l'erreur,
Nous combattons l'horreur
Par la...

Je tombai évanoui sur le sol de mon rêve.

Quand je me réveillai, mais toujours endormi, j'étais dans les bras de l'ange. Il me caressait les cheveux.

— Les autres hommes de Dieu ne faisaient pas tant d'histoires, me dit-il.

— Les autres hommes de... ? demandai-je dans un souffle.

— Moïse, me lança-t-il avec un peu de négligence.

Le Bouddha. Abraham. Socrate. Mahomet. Je me souviens très bien. Ils protestaient pour la forme. Mais ils en faisaient moins que toi.

J'étais pétrifié.

— C'étaient des êtres supérieurs, marmonnai-je. Des penseurs. Des meneurs d'hommes. Des génies. Des géants. Je ne suis pas un penseur, je ne suis pas un géant. Je suis un petit-bourgeois, un fonctionnaire de troisième classe. L'épopée n'est pas mon fort. Et la légende non plus.

— Justement, me dit-il. Nous avons changé tout cela. Il faut vivre avec son temps.

— Même Dieu ? dcmandai-je.

— Quand il s'occupe de vous, me dit-il, Dieu lui-même est soumis à la mode, à l'air du temps, au vent de l'histoire. Hier, à l'époque des grands ancêtres, c'était le règne des puissants et des princes, de la distinction, du respect. Aujourd'hui, c'est le tour de la démocratie, des masses, de l'égalité des chances, des droits des plus démunis, de la dérision et de l'ironie. Qui a dit, parlant de lui-même : « Un homme fait de tous les hommes et qui les vaut tous et que vaut n'importe qui » ?

— Peut-être Sartre ? m'étranglai-je.

— Voilà. Tout le monde vaut tout le monde et tout le monde vaut autant que toi.

— Tout le monde ! m'écrlai-je.

— Tout le monde. Tu es l'homme de la rue. Tu es à peine n'importe qui. Un guide de montagne, un cheminot, un couvreur prennent plus de risques que toi. Regardons les choses en face : tu es plutôt inférieur à un maçon, à un berger, à un chauffeur de poids lourd, à un docker sur les quais qui ont des responsabilités que tu n'as jamais connues. Tu le sais comme moi : tu es flou, tu es falot, tu as peur de tout. Tu n'es presque rien. C'est pour cette raison que le Seigneur t'a choisi. Le successeur d'Abraham et de Moïse ne pouvait être que le premier – ou le dernier – venu. Il devait se perdre dans la foule. Tu feras l'affaire mieux que personne parce que tu es médiocre parmi les médiocres.

— Ah ! bon, lui dis-je.

Je me rassurais un peu.

D'un coup de cette aile qu'il n'avait pas, il m'emporta avec lui, au-dessus des mers et des forêts, au sommet d'une montagne. Nous volions dans les airs tous les deux et la Terre se déroulait sous nos yeux. Il se tourna vers moi.

— Eh bien, successeur de Moïse, parlons de la mission.

Je fronçai les sourcils.

— La mission ?... Quelle mission ?

— Dieu se propose de te parler. Il m'a chargé de te le dire.

Que pouvais-je faire ? Je respirai un bon coup.

— Dieu veut me parler ?

— Il a parlé à Abraham : « Le Seigneur parla à Abraham dans une vision et lui dit : Ne craignez point, Abraham, je suis votre protecteur. » Il a parlé à Moïse : « Le Seigneur l'appela, et lui dit : Moïse,

Moïse. Il lui répondit : Me voici. » Il a parlé à Mahomet à qui il a envoyé, sous le nom de Jibraîl – toujours la soumission à l'histoire et à ses modes –, mon confrère Gabriel. Tu te rappelles ?

— Vaguement, lui dis-je. Tout le monde connaît la Bible, tout le monde connaît le Coran. Plus ou moins, bien sûr. Tu n'es pas Gabriel ?

— Non, me dit-il. Je suis Uriel. Dieu est entouré d'une troupe de messagers célestes qui portent des noms différents selon vos régions et vos cultures. Les Perses les appelaient amshaspends : Bahman, « la Bonne Pensée » ; Ardibihishi, « la Meilleure Vertu » ; Shahriver, « l'Empire désiré » ; Spendârmidh, « l'Abandon généreux » ; Khordêdh, « la Santé » ; Murdâd, « l'Immortalité ».

— Ah ! très bien, lui dis-je.

— Et les Juifs, séphirots : « Conscience », « Sagesse », « Intelligence », « Amour », « Puissance », « Beauté », « Victoire », « Splendeur », « Fondement », « Royaume ».

— C'est une chance inouïe, lui dis-je, de t'avoir rencontré.

— Dans la langue que tu parles, ils sont répartis en neuf chœurs et trois ordres ou hiérarchies :

Première hiérarchie

Chœur des Séraphins
Chœur des Chérubins
Chœur des Trônes

Deuxième hiérarchie

Chœur des Dominations
Chœur des Vertus
Chœur des Puissances

Troisième hiérarchie

Chœur des Principautés
Chœur des Archanges
Chœur des Anges

Les anges proprement dits sont chargés des besognes de chaque jour. Invisible et présent, attentif au moindre geste et à la pensée la plus fugitive, vous avez tous, vous, les hommes, un ange gardien auprès de vous. Je suis un archange comme Gabriel, le chef des messagers divins, comme Raphaël, le docteur transcendant, comme Michel, le capitaine des milices célestes, mes confrères et mes amis. Je ne voudrais pas te vexer, mais Dieu a toujours réservé ces trois-là, et surtout Gabriel, pour les très hauts personnages. C'est à toi maintenant, à toi, le moins que rien, qu'il a l'intention de parler. C'est pourquoi je suis là.

— Je crains, dit François qui donnait depuis quelques moments des signes évidents d'impatience, que nous ne soyons devant un cas manifeste de folie des grandeurs.

— Bien sûr, dit Edgar. Folie des grandeurs. Délire logique à thème unique. Paranoïa avec surestimation démesurée du moi. Mais articulée, me semble-t-il. Élaborée. Presque savante. Avec des allusions transparentes à la religion de Zoroastre, à la Kabbale et au *Zohar* de Moïse de León, au Pseudo-Denys l'Aréopagite et à saint Ambroise. Ce Simon ne m'ennuie pas. Et vous ?

— Ridicule, dit François. Comment expliquez-vous qu'il se souvienne au réveil des noms à coucher dehors des anges des anciens Perses ?

— Mon Dieu !..., dit André sans lever les yeux des pages qu'il était en train de lire.

— Est-ce dans le texte ? lui demandai-je. Ou est-ce toi qui t'exprimes ?

— Les deux, me répondit-il.

Je poussai un soupir.

— Je continue, nous dit-il :

— Mon Dieu ! dis-je à Uriel. Pourquoi diable tient-il tant à me parler ?

— Les hommes le tourmentent, me dit-il.

Je réfléchis un instant.

— Ne le tourmentent-ils pas depuis toujours ?

— C'est très juste, me dit-il. Ils l'ont tourmenté dès le début. Dès Adam et Ève. Dès Caïn et Abel. Dès le combat de Jacob avec un ange de ma connaissance. Dès vos fameuses origines dans les savanes de l'Afrique et dès votre guerre du feu. L'histoire des hommes se confond avec leur révolte contre Dieu. Mais ils l'adoraient en même temps – sous une forme ou sous une autre. Longtemps, le monde a été plein de dieux qui renvoyaient à sa grandeur et à son éternité. Les hommes pensaient à autre chose qu'à leur propre existence. Aujourd'hui, ils le tourmentent toujours, et ils ne l'adorent plus. Ou ils ne l'adorent pas comme il faut. Ils ne croient plus qu'à eux-mêmes. L'orgueil les étouffe. Même les meilleurs se moquent comme d'une guigne d'un passé où Dieu était encore tout-puissant. Ils regardent vers l'avenir sans se soucier de leur créateur. Et, autant te le dire tout de suite, ce que Dieu aime le moins, c'est l'orgueil de ses créatures et qu'elles ne s'occupent plus de lui. Mais je bavarde, je bavarde, et nous perdons notre temps. Dieu lui-même t'expliquera mieux que moi ce qu'il éprouve et ce qu'il attend de toi. Je t'introduis auprès de lui et je m'éclipse aussitôt. J'ai pas mal de choses à faire.

— Quel genre de choses ? lui demandai-je.

— Je m'occupe, me dit-il. Je suis le coursier du Seigneur, son saute-ruisseau, son ange de main. Je fais le ménage, je dépoussière, j'époussette. Michel, Raphaël et Gabriel ne peuvent pas être partout. Avec ces milliards d'étoiles dans des milliards de galaxies, avec l'extinction des dinosaures et toutes ces sortes de catastrophes qui sèment la mort sur leur passage, avec les grands de ce monde qui n'en finissent pas de défier le Très-Haut, avec les dragons et les anges révoltés et le mal qui s'obstine à mettre son nez un peu partout, ils ont du travail par-dessus la tête. Je bricole à l'étage du dessous. Les enfants qu'on sauve dans les inondations, ceux qui survivent aux raz-de-marée, ceux qu'on retrouve sous les décombres après les tremblements de terre, ceux qui se jettent par la fenêtre des immeubles en feu et qui sont rattrapés au vol par un pompier au grand cœur, c'est moi. Je ne voudrais pas me vanter, mais le retard inexplicable de

Grouchy à Waterloo, c'est moi. Le fils du maître de poste Drouet qui reconnaît le roi dans sa berline le 21 juin 1791 au relais de Sainte-Menehould et le précède à Varennes-en-Argonne, c'est moi. La mort subite d'Alaric aux bords du Busento ou d'Attila en Pannonie, et de tant d'autres avant ou après eux, c'est encore moi. Et c'est moi qui, à Bordeaux, un beau jour de printemps, pousse dans l'avion pour Londres un général de brigade à titre temporaire. Je te raconte tout ça en vrac et un peu au hasard. En un mot comme en mille, je pare au plus pressé. Et je fais ce que je peux.

— De la politique, en tout cas.

Le singe dans sa culotte rouge sauta soudain entre nous. L'ange le repoussa avec fermeté.

— Penses-tu ! me dit-il. Tu veux rire. De l'histoire, à la rigueur. Et encore. J'obéis aux ordres, voilà tout. Le Seigneur a ses raisons et je ne les discute pas.

— Écoute..., lui dis-je en hésitant un peu, tu ne pourrais pas choisir une autre victime que moi ? Tu devrais en trouver en pagaille, des médiocres dans mon genre pour parler à ton Dieu...

Il éclata d'un bon rire.

— Voilà le plus beau ! me dit-il. Tu sais ce que tu es ?

— Non, lui dis-je.

— Une caricature. Une caricature de ces hommes tièdes et légers qui sont odieux au Seigneur. D'abord, tu ne parleras pas à Dieu – qui est ton Dieu autant que le mien. Personne ne parle à Dieu. On l'adore, on l'implore. On ne lui parle pas. On l'écoute, c'est tout. Tu l'écouteras. Tu accueilleras la parole de Dieu avec soumission et respect. Ensuite, tu n'es pas une victime. C'est une bénédiction d'être choisi par le Seigneur. Et, j'ose le dire, une gloire. Et en vérité, la seule gloire. Enfin, tu ne t'imagines tout de même pas que c'est toi qui décides de ton sort ? Tu le subis, voilà tout. Il n'y a rien que tu ne subisses d'un bout à l'autre de ton rêve et de ton existence. Bien sûr, tu ne le sais pas. Tu te vantes de ta liberté – ah ! Seigneur ! ta liberté... –, de ta volonté, de ta capacité de changer l'ordre des choses et le cours de l'histoire. Tu devrais commencer à comprendre que tu es aux ordres du Dieu tout-puissant qui a créé l'univers, qui t'a créé toi-même et qui te garde en vie aussi longtemps qu'il le juge bon.

Je m'inclinai, résigné.

— Alors, je verrai Dieu et...

— Non, dit-il. Non. Tu ne le verras pas. Car nul homme ne peut voir son visage sans mourir. Tu seras ravi dans son ombre, dans sa nuée obscure. Et la puissance du Très-Haut te couvrira de sa lumière qui ne sera pour toi que ténèbres.

Un tourbillon de nuage et de feu s'éleva sur la montagne.

— Tu es un homme à tête dure, lança-t-il.

Et il disparut.

Les montagnes s'embrasèrent. Tout bascula.

— Mais attends ! m'écriai-je, attends !...

La tête me brûlait. J'étais réveillé. Dans l'angoisse, comme d'habitude. Entre peur et espérance.

***

— Si nous nous en tenions là ? suggéra François.

J'hésitai un instant.

— C'est mon tour, murmurai-je. J'aimerais assez connaître la suite.

— Est-ce bien utile ? dit François.

— Votons ! proposai-je. Qui est pour arrêter ?

François tendit le bras.

— Qui est pour continuer ?

Trois mains se levèrent.

— Nous reprendrons demain, dit André. Notre bateau nous attend.

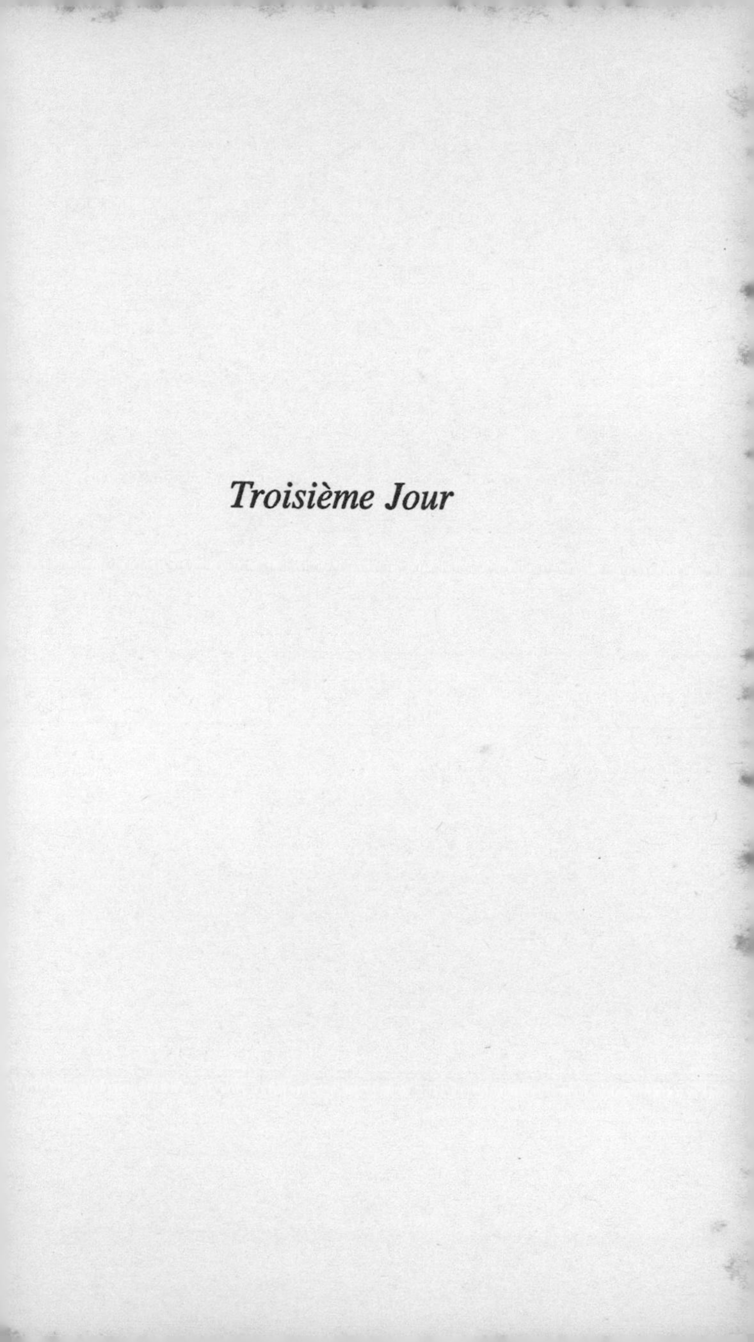

Troisième Jour

Les origines

Une voix sort des flammes – Parle, parle, Seigneur, ton serviteur écoute – Le secret du fleuve doit être cherché à sa source – Que faisait Dieu avant la création ? – Une plaisanterie de saint Augustin – Le rien est le tout – Le Dieu inconnu et le Seigneur de l'absence – La nuit où toutes les vaches sont noires – Une variété risible de l'odyssée de l'esprit – Le mur de Planck – Une singularité – À l'origine, l'esprit – Séparation violente du rien et du tout – Le mal est déjà là – Toutes les pistes sont brouillées – Mystère du « pourquoi » – La pointe d'épingle – Une matière en quête d'avenir – Deux bonnes fées et une mauvaise – Un monde fini – Le chiffre de Dieu – Rondeur stérile et féconde du zéro – Beauté des choses – Je crie vers toi, Seigneur – Pourquoi y a-t-il quelque chose plutôt que rien ?

Rien ne bougeait sur l'île accablée d'un soleil qui hésitait à baisser dans le ciel implacable. Nous étions à nouveau installés dans notre cour, tous les quatre, chacun à sa façon et selon ses habitudes, à l'ombre du figuier. Edgar fumait un de ses éternels cigares apportés par André. Attendant le whisky du crépuscule du soir, André finissait son verre de pomerol. François dissimulait à peine son impatience et une humeur médiocre. C'était à moi de lire. Je lisais.

***

Je ne faisais plus rien. J'attendais. J'avais cessé de travailler. J'avais écrit à mes collègues qu'une obligation de famille m'éloignerait de Paris pour une durée indéterminée. Je me nourrissais à peine, je ne voyais plus personne. Les livres, les journaux, les images, les sons m'étaient insupportables. Toute la journée, je guettais le coucher du soleil et le retour des ténèbres. Chaque soir, pendant plus d'une semaine, je sombrais dans un sommeil sans rêves où il ne se passait presque rien : je me contentais de survivre.

Une nuit, Dieu m'appela.

Sa voix était forte et douce. Elle disait :

— Simon, Simon...

J'étais transi de frayeur. Ma langue se refusait à toute obéissance. La voix répéta :

— Simon.

De l'esprit et du corps, je fis un effort prodigieux et je murmurai en un souffle :

— J'ai peur.

Je me traînais à terre, je pleurais.

La voix me dit :

— Ne crains plus, Simon. Je suis ton Seigneur et ton Dieu.

Je me redressai. J'étais très calme. Je levai les yeux. Une nuée sombre et brillante d'où s'échappaient des flammes se dressait devant moi. La voix sortait des flammes. Je m'entendis, à ma surprise, répondre d'une voix ferme et qui ne tremblait pas :

— Parle, Seigneur. J'écoute et j'obéis.

Nous n'étions plus sur la montagne où l'archange m'avait entraîné. Un désert nous entourait. Du sable, des pierres, des arbustes rabougris, écrasés de soleil et tordus par le vent. Un sentiment de blancheur autour de la colonne aux rayons lumineux et obscurs où Dieu se dissimulait. Parle, parle, Seigneur, ton serviteur écoute.

La voix de Dieu s'éleva.

— J'ai voulu te parler, Simon. Les hommes ont beaucoup changé. Ce n'est pas à toi d'avoir peur : c'est à moi.

— Seigneur, répondis-je, tu es le maître de l'immensité, de la Terre minuscule et du destin des hommes. Que pourrais-tu donc craindre ?

— Ce n'est pas pour moi que j'ai peur, dit la voix. C'est pour vous. C'est pour les hommes. Ils courent à leur perte. Et ils ne le savent pas.

— Je ne comprends pas, lui dis-je. Tu peux tout. Les hommes t'appartiennent comme le reste de l'univers. Tu peux, à ta guise, les laisser se perdre ou les sauver.

— Les choses ne sont pas si simples...

Perçait sous la voix quelque chose comme de l'ironie – et peut-être l'ébauche d'un sourire.

— ... Je te parle, tu me réponds. Dès le début, les hommes se sont séparés de moi. Je suis leur maître, et ils sont libres. Par ma volonté, et pour qu'ils puissent être libres, le mal s'est glissé entre les hommes et moi. Tout le drame de l'histoire est là et c'est de ce drame que je veux te parler.

— Seigneur, lui répondis-je, tu parles et je t'écoute.

— Écoute, Simon. Le savoir des hommes est incomplet et flou parce qu'ils se jettent tête baissée au milieu d'enchaînements qui remontent très loin dans le passé et dont ils ignorent les débuts. Savoir, ce n'est pas constater les effets, c'est connaître les causes. Dieu se rit des hommes qui se plaignent des effets dont ils chérissent les causes, Dieu se rit surtout des hommes qui se prononcent sur les effets sans s'interroger sur les causes. Pour comprendre quoi que ce soit, mieux vaut toujours commencer par le début. Le mystère du fleuve doit être cherché à sa source. La clé de tout savoir est dans les origines.

— Seigneur, lui dis-je, le début, c'est toi et l'origine, c'est toi. Tu es le but et la fin. Tu es aussi le début et l'origine de tout. Tu es l'alpha et l'oméga. Si tu n'étais pas, je ne serais pas.

— Je suis celui qui est. Le monde, lui, l'univers, l'espace et le temps, le tout, n'a pas toujours été. Qu'y avait-il au début, à l'origine, avant l'apparition de l'univers et du temps ? La réponse est assez simple, et, pour vous au moins, elle est inexplicable il n'y avait rien. Ou, plutôt, il y avait deux éléments ineffables, deux absences de réalité dont il est impossible de parler et qui se confondaient : il y avait le néant et il y avait moi.

Tu dois, pour comprendre, accomplir un effort surhumain et sortir de toi-même. Tu vis dans le temps et dans le monde comme un poisson dans l'eau : vos carpes ou vos brochets, et votre dauphin lui-même, si joueur et si vif, sont incapables d'imaginer qu'il y ait autre chose autour d'eux que cet élément liquide auquel ils ne peuvent pas échapper. Et toi, tu ne peux rien concevoir hors de l'espace et du temps. Bien loin d'être aussi simples et aussi évidents que tu le crois, l'espace et le temps sont des formes d'une complication stupéfiante qui n'ont pas toujours été là et qui ne sont pas éternelles. Il y a eu avant le temps, il y aura après le temps une autre réalité, plus réelle de beaucoup – de l'épaisseur d'un monde – que ta réalité passagère. Qu'y avait-il avant le temps, que faisait Dieu avant la création ? Tout au long de votre histoire, des hommes, des hommes comme toi...

— Comme moi ? demandai-je.

— Enfin... À peu près comme toi... ont osé se poser cette question sans jamais la résoudre. Voilà que je t'ai choisi pour enfin y répondre.

— « Maintenant je peux répondre à ceux qui dcmandcnt cc quc Dicu faisait avant d'avoir crćć lc monde, coupa André. Il préparait des supplices effroyables pour ceux qui auraient l'audace de soulever cette question. »

— Qu'est-ce que c'est encore que cette histoire ? ronchonna François.

— Saint Augustin, dit André. Les *Confessions*, livre XI, chapitre 12. Je cite de mémoire. Tout le monde connaît ça.

— Pas moi, dit François. Et ce n'est même pas drôle.

— Célèbre, en tout cas, dit Edgar. Dans le manuscrit de Laquedem, ce sont des passages comme celui-là, si proche de textes familiers, qui me mettent la puce à l'oreille. Délire paranoïaque ou collage plus ou moins astucieux ? La première hypothèse m'intéresserait davantage.

— Je peux continuer ? demandai-je.

— *OK*, dit Edgar en mâchouillant son cigare. *OK. Go on.*

— Merci beaucoup, soufflai-je.

— Avant le monde, il n'y avait rien. Avant le temps, il n'y avait rien. Connais-tu le sens de ce mot : « rien » ?

— Euh..., bredouillai-je, c'est le vide.

— C'est bien autre chose. Quand tu parles de vide, tu penses à un secteur d'où est éliminée toute trace non seulement de vie, bien entendu, mais de réalité. Pas d'organismes, pas de particules, pas le moindre fragment de matière. Subsistent pourtant toujours et l'espace et le temps où même le vide est encore plongé. Le rien d'avant le temps est un néant absolu. Infiniment plus – ou infiniment moins – que votre néant à vous.

— Rien de rien ? dis-je bêtement.

Et je me mettais à danser et à chanter autour d'un trou qui se creusait à mes pieds. Je me tapais la tête contre le sol et je criais :

— Néant ! néant !

— Tu peux prononcer le mot : « néant », mais tu ne peux pas le penser parce qu'il t'est interdit de sortir de l'espace et du temps. Avant le monde et le temps, le néant primitif est absolu, infini, éternel. Il est une pure absence que l'esprit borné des hommes est incapable de se représenter et qu'il ne peut même pas concevoir. Tu vois déjà, j'imagine, où je veux en venir...

— Pas du tout, avouai-je.

— Il se confond avec moi. Je suis, comme le néant, l'absolu, l'infini, l'éternel. Le néant, c'est moi.

— Seigneur, je suis très troublé par ce que tu me dis. Je croyais que le néant, c'était nous, puisque nous mourons, et que la seule réalité, c'était toi.

— Vous êtes le rêve de Dieu. Je suis la seule réalité. Et, au moins à vos yeux égarés et aveugles, je suis aussi le néant. Parce que nous sommes tous les deux, le néant et moi, l'absolu, l'infini, l'éternel. Pour vous qui vivez dans le monde passager que, néant moi-même, j'ai fait surgir du néant, il reste quelque chose de cette éternité dans la mort qui vous frappe tous et vous ramène aux origines d'où vous avez été tirés pour quelques brefs printemps, pour une poignée d'automnes, pour le temps d'un éclair. Tout ce qui est né pour finir n'est pas tout à fait sorti du néant, où il est aussitôt replongé.

— Pardonne-moi, Seigneur, murmurai-je éperdu. J'ai du mal à te suivre.

— Moi aussi, grogna François.

— Continue ! me lança Edgar.

— J'obéis, lui dis-je.

— Ce que tu dois comprendre, ou essayer de comprendre, c'est que le néant était tout. Le rien et le tout se confondaient. Ils ne faisaient qu'une seule chose qui n'avait pas d'existence et se confondait avec moi. Je régnais sur le tout qui n'était que néant. J'étais le Seigneur de l'absence. J'étais absent moi-même. Je le suis toujours. Je suis absent pour l'éternité. Personne ne m'a jamais vu. Personne ne me verra jamais. Personne ne pourra jamais me voir. Personne, ni Abraham, ni Moïse, ni Mahomet, ni personne, ni toi, ne peut dire : « J'ai vu Dieu. » Personne n'ose le dire. Personne ne songe même à le dire. Ce n'est pas en vain qu'il est interdit de représenter mon absence et d'invoquer mon nom. Le culte le plus vrai qui m'ait été rendu s'adressait « au Dieu inconnu ». Je suis le Dieu inconnu. Je vous ai envoyé des prophètes que tout le monde a pu voir. Par un mystère aussi immense que le mystère du temps et de la création, je vous ai envoyé mon Fils, qui est mon émanation et qui était un homme comme toi pour que vous puissiez le connaître. Dieu lui-même est absence. Dieu, avant le temps, était tout parce qu'il n'était rien. Il était le maître du néant avant d'être le maître de la création. Je suis le maître de tout parce que j'étais, que je suis, que je serai, depuis toujours et à jamais, au-delà des siècles et des siècles, le maître caché du rien et de l'éternité.

Je me jetais à terre, le front dans la poussière du songe, je me prosternais devant son ombre d'où jaillissait la lumière et devant son absence et je m'écriais en silence :

— Mon Seigneur et mon Dieu !

— Relève-toi, Simon, me disait-il. Je suis ton Seigneur et ton Dieu.

Je me réveillai dans la nuit obscure d'un bonheur indicible.

— Un peu de Spinoza, de Kant et de Hegel assez mal digérés, prononça André. La nuit de Schelling aussi, où toutes les vaches sont noires, selon un mot fameux. Avec une touche pâteuse de saint Jean de la Croix et de sainte Thérèse d'Ávila.

— Plutôt n'importe quoi, protesta François. Une bouillie pour les chats.

— Peut-être aussi, risqua Edgar, une variété insensée et risible de l'odyssée de l'esprit ?

— En effet, ricana François, il y a de quoi se tordre.

— Je me demande, dit André, ce que nous savons du passé de Laquedem, de ses études, de ce qui l'amuse ou l'intéresse...

— Pas grand-chose, répondit Edgar. Archiviste-paléographe. Des lectures, j'imagine. Il en dit d'ailleurs quelques mots.

— Je m'en souviens, dit André.

— Illuminé, bien sûr, et naïf, mais aussi roublard, et peut-être truqueur. J'ai essayé d'en apprendre un peu plus sur le personnage et son parcours. Mais en vain. Je n'ai pas d'adresse où lui écrire. Le cahier m'est parvenu sans aucune indication. Tout ce que je sais de lui, vous le savez aussi.

— Et si c'était un canular collectif ? suggérai-je.

— Je ne crois pas, dit Edgar. Je le suppose solitaire et sérieux à faire peur. Sans la moindre femme et sans enfants autour de lui. Obsédé par des idées fixes. Mon hypothèse est qu'il s'agit d'un cas de folie mystique. Entretenue par quelques livres attrapés au hasard. Dans ce monde incertain et changeant, il doit vouloir chercher, comme beaucoup d'autres, de quoi se rassurer et des certitudes où s'appuyer. Je me trompe peut-être. C'est possible. Je n'en sais rien. C'est pour cette raison que je voulais votre avis.

— Le mien est clair, dit François. Je l'ai déjà exprimé : mystification. Et assez maladroite. Bourrée d'erreurs et de contresens. Que le temps ne soit pas éternel, qu'il ait surgi d'une explosion primitive n'est pas prouvé du tout. Il n'est même pas sûr qu'un néant ait précédé ce qu'il est convenu de traiter – par dérision : la formule est de Fred Hoyle, un astronome qui n'y croyait pas – de *big bang*. Vous savez, comme tout le monde, que le big bang n'est qu'une hypothèse...

— Une hypothèse très vraisemblable, dit André. Je crois qu'il y a là-dessus – est-ce que je me trompe ? – comme une espèce de consensus...

— Si tu y tiens. Je te l'accorde... À supposer qu'il ait eu lieu, il constitue en tout cas ce que nous appelons dans notre jargon une « singularité ». Nous ne pouvons rien en dire : les lois que nous connaissons se heurtent, il y a quelque quinze milliards d'années, à un obstacle infranchissable, le mur de Planck. Au-delà de ce mur, ou en deçà, si vous préférez suivre l'ordre d'un temps au statut vacillant, vous pouvez toujours inventer ce que vous voulez. C'est de la poésie pure. Et je le dis dans le sens péjoratif du terme.

— Je voudrais bien savoir comment il va s'en tirer, murmura André.

— Il n'y a pas d'autre moyen, lui dis-je, que de poursuivre notre lecture. Le soleil est encore haut. Voulez-vous que je continue ?

Il y eut des grognements. Je les pris avec gaieté pour un assentiment.

***

La nuit revenait. Je m'endormais. C'était comme un réveil : le Seigneur était là. Et il me parlait.

— Au cœur de l'absence reposait mon esprit. L'éternel est néant, l'éternel est esprit. L'esprit saint flottait sur le néant sans bornes. Le néant et l'esprit étaient indiscernables.

Simon, ne va pas croire ceux qui répètent avec fausseté que le hasard est au début des choses. À l'origine est l'esprit, et non pas le hasard. L'esprit, qui toujours nie, nie aussi le néant. Née de l'esprit divin, une idée prodigieuse submerge l'infini. Quelle est-elle, cette idée ? Que le tout et le rien peuvent être séparés.

Ils ne peuvent être séparés que par la négation du néant. À l'origine de l'univers, il y a une négation, un rejet, un refus, une rupture. Le combat de Dieu contre Lucifer et les anges révoltés est l'image de cette rupture. Le travail du négatif s'exerce sur le néant avant de déferler avec force sur toute l'histoire du monde. Il y a un sacrifice. L'esprit se nie lui-même. Il se met en péril. Il court le risque de l'existence. Il est absence et néant : il sera aussi présence et il sera le tout. Je vous envoie Abraham et Moïse. Je vous envoie Socrate. Je vous envoie mon Fils. Je vous envoie le Prophète. Il y a une violence. Abraham se proposera d'égorger son enfant. La cavalerie de Pharaon poursuivra les Hébreux de Moïse et voudra les exterminer avant d'être emportée elle-même par les eaux de la mer Rouge. Socrate sera mis à mort. Mon Fils sera crucifié. Jérusalem sera détruite. Ali et Husayn, gendre et petit-fils du Prophète, seront assassinés. Les guerres saintes feront rage. Avant même l'origine, le mal est déjà là. Il participe avec l'esprit au rejet dans le néant du néant primitif. Et à l'explosion d'un monde nouveau qui sera livré à une pensée où le mal se sentira comme chez lui. Les hommes n'ont jamais cessé de s'interroger sur le mal. Dieu lui-même a besoin du mal parce qu'il fait surgir le monde du néant infini.

Les montagnes dansaient autour de moi. Les soleils chantaient. Des anges cruels pilotaient les astres.

— Pardonne-moi, Seigneur. J'en suis resté à la Genèse, à la séparation de la terre et de l'eau, au firmament étoilé, à Adam et à Ève et à leurs fils ennemis. Je ne comprends rien à ce que tu me dis.

— Tiens ! s'écria François, un éclair de bon sens.

— Je peux, si tu préfères, parler sous forme de mythe. Dieu s'ennuyait dans sa solitude et dans sa stérile éternité. L'infini lui parut vide. Il voulut fournir à sa puissance et à sa gloire inutiles un enjeu digne de lui. Il tira le monde du néant et donna à l'homme, sa créature la plus achevée, la capacité de choisir entre le bien et le mal. Cette fable-là en vaut une autre.

Des centaines et des centaines, des milliers de mythes différents et toujours semblables à eux-mêmes ont tourné autour de moi dont personne ne sait rien, de mes desseins secrets et des débuts de l'univers. Pour les uns, le monde sort d'un œuf géant, pour les autres il repose sur une pyramide de tortues. N'importe qui peut toujours raconter n'importe quoi.

— *Listen who speaks !* glapit François.

— J'ai donné la pensée aux hommes pour qu'ils puissent, à leur gré, m'adorer ou me nier. Pour qu'ils puissent chercher sans fin et sans jamais le découvrir le secret d'un Dieu dissimulé derrière les grands espaces et la longue durée. J'ai brouillé toutes les pistes.

— Tu as réussi, lui dis-je. Impossible de rien prouver, ni dans un sens ni dans l'autre.

— Impossible, en effet. Malgré tant d'efforts, et des uns et des autres. La science remonte jusqu'aux premières secondes de l'univers, quinze milliards d'années avant toi. Elle règne sur ton monde et ta vie et elle te révèle presque tout du « comment ? » des origines. Elle n'a pas progressé d'un pouce dans la découverte du « pourquoi ? ». Sur ce terrain-là, elle n'a pas avancé et elle n'avancera jamais. Parce que ce n'est pas son affaire. Dieu est d'un autre ordre que la science et le génie des hommes.

Tu ne croiras ni ceux qui t'assurent que le monde a été créé il y a quelques milliers d'années par un vieillard à barbe blanche ni ceux qui proclament que l'univers s'est fait tout seul par un jeu aveugle de rencontres improbables et de forces mystérieuses. Ni les fables des uns ni la doctrine des autres. Ni une mythologie pour enfants arriérés ni des théories qui n'en finissent jamais de se détruire avec férocité et de cerner une vérité à laquelle, par nature, elles sont incapables d'atteindre. Sous un nom ou sous un autre, tu croiras à l'esprit qui est la source de tout. Tu croiras en un Dieu, caché et tout-puissant, de sagesse et d'absence.

— Et voilà le travail ! s'écria François. Passez muscade ! Ah ! c'est malin ! Je crains que votre gaillard ne montre un peu trop vite le bout de son oreille...

Je levai les yeux.

— T'occupe ! me dit Edgar. Tu reprends.

Le soir montait lentement. Je repris.

— Votre tout sortait du néant et il n'était (presque) rien. Il était encore (presque) rien. Il était encore presque rien et il était déjà presque tout. Il était le milliardième du milliardième d'une pointe d'épingle. Sa température s'élevait à des milliards de milliards de degrés et sa masse dépassait tout ce que tu peux imaginer. Miracle au moins aussi incroyable que la négation du néant, dans cette pointe d'épingle dormait, déjà présent, encore absent, tout l'univers à venir. Et toute l'histoire des hommes, aussi minuscule et aussi immense au regard de l'univers que la pointe d'épingle au regard du néant infini.

André se levait pour aller chercher son whisky et

rapportait un verre à Edgar. La cour était maintenant à l'ombre. Encore quelques dizaines de minutes, ou peut-être une heure ou une heure et demie, et j'aurais du mal à poursuivre ma lecture.

Un noyau s'entrouvrait. Des particules, des filaments, des bâtonnets minuscules, des membranes imperceptibles s'en échappaient en vibrant et se changeaient en tourbillons de couleurs et de formes qui fuyaient à toute allure vers les limites d'un ciel qui passait à reculer son espace et son temps. C'était un grouillement de gaz, de liquides, de matière en quête d'avenir. Des galaxies allaient naître. Des astres se préparaient à tourner sur eux-mêmes et les uns autour des autres et à laisser derrière eux des sillages lumineux et des chants de sirènes.

Dieu se réfugiait dans son ombre. Je voyais un berceau qui grandissait à vue d'œil : c'était notre premier milliardième de seconde. Sur le berceau se penchaient trois fées dont deux étaient bonnes et la troisième mauvaise. La méchante fée était armée d'une faux qu'elle agitait en tous sens. Des deux qui étaient bonnes, l'une était pure et simple. Elle rayonnait d'une splendeur sans égale. Elle attirait tous les regards. Son charme et sa grâce traînaient derrière elle les esprits et les cœurs. L'autre était multiple, très claire, mystérieuse, toute-puissante. Les trois fées s'appelaient le mal, la beauté et les nombres.

— Simon, disait le Seigneur du néant et du tout, l'univers qui va jaillir de mon esprit et de la pointe d'épingle sera inouï et très beau. Pour vous, il sera immense. Et pour moi, minuscule. Tout y sera nouveau puisqu'il sort du néant qui est seul avec moi à être infini. L'univers, beaucoup, avant toi, l'auront cru infini. Et beaucoup, après toi, le croiront encore infini. Il n'est pas infini. Ni dans l'espace ni dans le temps. Il n'y a d'infini que le néant et moi. Mais il sera tellement grand qu'à la mesure des créatures il pourra paraître infini. Il sera assez grand pour que vous ne puissiez jamais remonter à la source dont je suis venu te parler. À toi. Et à toi seul.

François explosa.

— Non, mais quel culot !

— Tout pourra se passer comme si je n'avais jamais existé. Et, au sens misérable que vous donnez à ce mot, je n'ai jamais existé et je n'existe pas. Je suis. Et c'est assez. Et je fais exister, je fais éclore du néant, je laisse surgir de moi tout ce qui existe à vos yeux : votre tout, et tout ce qui le compose.

Des sons s'élevaient. La grâce s'y mêlait au mystère. C'était la musique des sphères. Je l'écoutais dans le ravissement. Elle entraînait l'univers. Elle se changeait en chants qui montaient sous les voûtes des couvents, en cantates, en symphonies, en opéras, en concertos, en valse, en tango, en jazz, en be-bop, en rap, en sarabande. Des couleurs vives la traversaient : des éclairs rouges et bleus, des traînées de vert, de violet ou d'orange. Des formes monumentales apparaissaient pour disparaître aussitôt : des cercles, des carrés, des triangles gigantesques, des pyramides et des temples.

— Une force à mon image, pleine de lumière et d'ombre, règne en mon nom sur le tout. Ce sont les nombres. Ce qui naît de la pointe d'épingle où repose tout ce qui va suivre est mathématique. Les hommes, dans leur orgueil, s'imagineront inventer la splendeur sans pareille de la mathématique qui explique l'univers. Ils ne l'inventent pas du tout : ils la découvrent. Les nombres sont au cœur des choses et de leur organisation. Et ce n'est pas assez dire. Ils appartiennent à l'esprit, ils font le lien entre le néant et le tout. Ils précèdent votre monde, ils sont son ressort et sa matrice. Ils sont inscrits dans le ciel des idées.

Quelques-uns des tiens soutiendront que le créateur du tout se résume à une équation. Délire, bien entendu. Mais où justice est rendue à la structure de l'univers et à l'instrument dont je me suis servi pour lui permettre d'exister. Les nombres sont le chiffre de Dieu.

Dieu se cache dans la mathématique. L'esprit s'incarne dans les nombres. Je suis l'Éternel. Je suis l'infini. Je suis l'un. Tout ce qui est plus d'un est infiniment moins qu'un. Écoute le chant du monde : il chante la gloire de l'un. Mais je suis le multiple tout autant que je suis l'un. De même que le temps est une image mobile de l'immobile éternité, de même toute la suite des nombres donne une image lointaine et imparfaite de l'infini. Dans votre monde du fini, il n'y a pas de limite à la série des nombres. Au plus grand de tous les nombres, il est toujours possible d'ajouter encore un chiffre. Vous n'atteindrez jamais la vérité, mais vous ne cessez de tourner autour de sa lumière et autour de son ombre. Vous ne parviendrez jamais à l'infini, mais vous avez une idée de l'indéfini qui est une étape sur le chemin de l'infini et qui peut, à la rigueur, dans l'imperfection et le vertige, vous en donner une image.

J'ai beaucoup aimé tous les nombres en qui j'ai mis ma confiance et un peu de ma puissance. J'ai aimé le deux. Et le trois. Et le sept. Et le douze. J'ai aimé tous les autres. Parce qu'il rappelle, de très loin, le saut du néant à quelque chose, le seul passage miraculeux est le saut de zéro à un. Mais dans le passage d'un à deux, d'Adam à Ève, du premier homme au premier couple, qui double soudain le monde et lui permet d'avancer, brille aussi ma grandeur. Et là où est le deux est le trois. Longtemps, chez vous, c'est ainsi que n'a cessé de surgir pour prendre la relève des morts cette recrue continuelle du genre humain : les enfants. Et, au sein de la Trinité, avec la même nécessité, du Père et du Fils procède le Saint-Esprit.

J'ai aimé les chiffres qui, gravés dans la corne ou inscrits sur la pierre, serviront d'abord aux moissons, aux troupeaux, aux cérémonies religieuses, les nombres pairs ou impairs qui introduisent dans la mathématique quelque chose de semblable à la différence entre les sexes, les nombres premiers qui chantent leur chant rebelle et dont vous aurez tant de mal à découvrir la loi secrète, les nombres irrationnels, les nombres imaginaires.

J'ai aimé le zéro qui renvoie au néant primitif et qui est capable, comme lui, de changer l'absence en présence et de faire sortir, lapins de lumière jaillissant d'un chapeau de ténèbres, des trésors sans fin de sa rondeur stérile.

J'écoutais le Dieu de l'infini et des nombres. Les mesures, les distances, les intervalles, les rapports dansaient autour de moi. Le monde était fait de forces aux noms imprononçables qui se traduisaient en calculs. Tout était unique et multiple, tout était très simple et d'une invraisemblable complication. En culotte rayée bleu et rouge, le zéro me tirait la langue et se moquait de moi.

— Le mal et les nombres, disait la voix qui devenait lointaine et sourde, seront à la source de ce que vous appellerez le tout et qui ne sera qu'un grain de sable dans l'immensité du néant. Pour donner à l'univers son allure et sa couleur il y aura encore autre chose, et qui entretiendra avec eux des liens subtils et cachés : ce sera la beauté.

Vous souffrirez : le mal s'imposera et régnera – presque à égalité avec moi. Ce n'est pas assez dire que les nombres obéiront à la loi : ils seront la loi elle-même. Plus légère, plus grande aussi, mystérieuse et changeante, hostile à toute définition, la beauté constituera la marque, sous des formes diverses jusqu'à la contradiction, de ma présence dans mon absence. L'univers sera beau, les galaxies seront belles, votre Terre, vos mers, vos montagnes, vos vallées, vos rivières seront belles. Les chênes, les oliviers, les cyprès, la vigne, les panthères et les truites, les girafes et les dauphins, les requins seront beaux. Avec votre corps, vos mots, votre voix, vos mains qui reproduiront ce qu'auront vu vos yeux, avec les instruments de votre talent ou de votre génie, vous créerez, vous aussi, une beauté qui rivalisera avec la mienne et qui vous hissera jusqu'à moi.

— Jusqu'à toi, Seigneur ?

— Aussi près que possible. Elle s'incarnera dans des formes différentes et souvent opposées. Elle se retournera contre elle-même jusqu'à se confondre avec l'horreur et avec le désespoir comme je me suis retourné contre moi pour faire sortir le tout du rien, en me confondant avec le mal. Et elle sera comme un cri qui montera vers mon absence.

Je restais hébété et muet. L'idée me traversa soudain que le successeur de Moïse avait avantage à se manifester.

— Je crie vers toi, Seigneur, balbutiai-je très vite.

— Simon, me dit le Seigneur, ne te donne pas cette peine. Ce n'est pas ton affaire. Souviens-toi que je t'ai choisi pour t'expliquer l'ordre des choses parce que tu étais n'importe qui.

— Moins que rien, lui dis-je avec un peu d'effort.

— Moins que rien, me dit-il. Tu l'étais. Tu le restes. Surtout, ne t'énerve pas. Le monde, si petit, est pourtant assez grand. Au moins pour vous. J'ai encore pas mal de choses à te confier sous le sceau du secret. Repose-toi quelques jours. Tâche de dormir sans moi. Le sommeil aussi est un don de Dieu. Pas de question ?

— Euh..., lui dis-je.

Pendant que je formulais cette réponse qui traduisait assez bien ce que je ressentais et où je me retrouvais tout entier, une question que j'avais lue quelque part et qui m'avait bien plu me revenait avec lenteur à l'esprit.

— Seigneur, claironnai-je très fort, pourquoi y a-t-il quelque chose plutôt que rien ?

— Ah ! murmura André, voilà l'ombre de Heidegger et l'ombre de Leibniz : *Cur aliquid potius nihil ?* Bienvenue au club !

Je fis semblant de n'avoir rien entendu et je continuai ma lecture qui tirait vers sa fin.

Il y eut un grand silence.

Puis la voix retentit :

— Pour que l'est et l'ouest et le nord et le sud, pour que l'immense et le minuscule, le délicieux et l'atroce, le début et la fin et tout le devenir entre eux célèbrent la gloire de Dieu.

Pour que je puisse me dissimuler parmi les choses créées, pour que tu puisses m'y nier et pour que tu puisses m'y chercher.

Pour qu'un peu de beauté naisse du mal et des nombres.

Je n'y voyais plus très clair. Ma voix devenait hésitante. La nuit était tombée. Apportée par Melina pour me permettre de continuer à lire, la lampe à huile donnait des signes de faiblesse.

— Verbeux ! s'écriait François. Qu'est-ce que vous voulez que je vous dise ? Verbeux.

— Oui, oui, bien sûr..., disait André.

Edgar dormait à moitié dans son coin, son troisième verre devant lui.

Je regardais la nuit. Le ciel était sans lune et les étoiles brillaient.

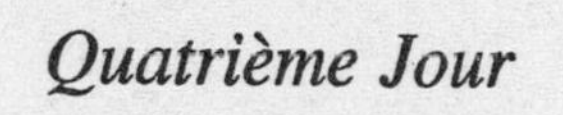

Quatrième Jour

Ce rêve appelé réalité

Aurais-je rêvé que j'ai rêvé ? – Le canotier du Dindon *– Simplicité de l'éternel, complication du temps – Les morts sortent du temps – Une forme privée de forme, un fleuve sans rives et sans eau – Le sage s'étonne de tout – Encore saint Augustin – Distinguer et unir – L'espace et le temps relèvent-ils du hasard et de la nécessité ? – Une marque de fabrique – Destins divers des jumeaux – L'espace, forme de notre puissance ; le temps, forme de notre impuissance – L'espace est mathématique – Le temps est de l'esprit – Un bon garçon un peu benêt – Un voyou très subtil – Un temps en trois personnes – L'éternel présent – « Arrête ! Tu es si beau ! » – Le présent n'existe pas – Un miracle peu vraisemblable – Au début de l'histoire, il n'y a pas de souvenir – L'univers est une machine à créer du passé – Puissance de l'avenir, triomphe du passé – Arbitraire de la nécessité – Portrait du hasard en farce de la providence – Dieu enchanté et transformé par le temps – Un rire en larmes.*

François avait lu ses pages. André avait lu ses pages. Et moi, j'avais lu les miennes. Edgar lisait à son tour le cahier qu'il avait apporté. À la différence de nous trois, il le connaissait presque par cœur. De temps en temps, il s'arrêtait de lire, levait les yeux au ciel, tirait une bouffée de son cigare et récitait le texte d'une voix un peu chantante et presque incantatoire qui se mêlait à son accent. Au point qu'André l'interrompit deux ou trois fois :

— Dis donc, Edgar : ce Simon Laquedem, ce ne serait pas toi, par hasard ?

Edgar haussait les épaules et poursuivait son exercice.

Quelques nuages couraient dans le ciel, venus on ne savait d'où. Simon Laquedem était présent parmi nous.

***

Dieu avait disparu. Je ne pouvais même pas me dire que j'avais rêvé. Peut-être avais-je rêvé que j'avais rêvé ? Pour me convaincre de la réalité de mon rêve, je feuilletais avec une nervosité croissante les notes de mon carnet et les pages déjà écrites de ce cahier qui en sortait peu à peu. Je revoyais les absences qui m'avaient bouleversé : la douleur diffuse des nuits noires, les imperméables sans visage, la blancheur de l'ange Uriel, la sombre nuée lumineuse d'où sortait la voix du Très-Haut. Je l'entendais encore, cette voix. Elle s'était imprimée dans mon cœur. Mais elle se taisait. L'aventure était déjà terminée. Elle n'avait sans doute pas de sens. Elle n'avait peut-être jamais existé.

Je passais des journées entières enfermé dans mon trois pièces des Buttes-Chaumont. Je buvais beaucoup. Rouge ou blanc, j'ai toujours aimé le bon vin. J'ai toujours aimé la bière. J'avais commencé à boire sérieusement au début de mes rêves de terreur. L'alcool, quelques joints, et de temps en temps des ressources un peu plus dures m'aidaient à supporter le silence du Seigneur. Je me disais en ricanant, avec une ombre d'amertume, que la mission de l'archange avait peut-être consisté à me transformer en chômeur, en pochard et en drogué. Et puis, une nuit parmi d'autres, Dieu m'a parlé à nouveau.

Le décor avait changé. Il n'y avait plus de désert, de nuée, d'ombre pleine de lumière ni de buisson ardent d'où sortait une voix. Je me trouvais plutôt dans une clinique, dans un laboratoire, dans un bureau d'études, dans une banque de données. Tout était blanc. Des machines partout. *Les Temps modernes* de Charlot, version électronique et passés à la chaux. Et, devant les enregistreuses, les consoles, les écrans, une foule de créatures d'un sexe indéterminé, à la silhouette élancée, aux traits indistincts, aux cheveux longs et bouclés s'affairaient en blouses blanches.

Un peu à l'écart de la rumeur qui montait des ordinateurs et des calculatrices, vêtu de blanc moi-même, un œillet à la boutonnière, à la main un canotier sorti tout droit de Labiche ou du *Dindon* de Feydeau, je me tenais debout dans un recoin arrondi et capitonné, en suspension dans l'air à la façon d'une loge ou d'une corbeille de théâtre. Je levais les yeux. Souveraine et murmurée, la voix qui sortait d'un haut-parleur dissimulé dans le plafond semblait s'adresser à moi seul. Je la reconnus aussitôt.

— Simon, me disait-elle, qu'est-ce que l'éternité ?

— Quand j'étais enfant, lui répondis-je, Mme Prism, notre maîtresse, pour nous donner une idée de l'éternité, nous avait proposé l'image d'un oiseau qui effleurerait tous les cent ans le globe terrestre de son aile. L'éternité était le temps qu'il faudrait à l'usure pour venir à bout de la planète.

— Est-ce assez bête ! dit la voix. Une absurdité sera toujours incapable d'expliquer l'infini. Et jamais une durée, aussi longue qu'elle puisse être, ne pourra se confondre avec l'éternité. Il faut tout changer, Simon. Tu dois penser autrement. L'éternité n'est pas un temps interminable : c'est une absence de temps.

L'éternité vous apparaît volontiers comme une chimère inconcevable alors que le temps appartiendrait à la réalité la plus simple et la plus évidente. Là encore, c'est l'exact contraire qui est vrai.

Rien n'est plus simple que l'éternité. Entourée de la terreur sacrée qui s'attache à tout ce qui me touche, une image familière vous en est offerte à tous sans aucune exception : c'est la mort. Tu te souviens, j'imagine, que le rien et le tout se confondaient à l'origine ? Et que l'éternel, le néant et moi ne sommes qu'une seule et même chose ?

— Seigneur, balbutiai-je, je m'en souviens.

Je n'y pouvais rien : dans le décor aseptisé de l'entreprise high-tech, mon canotier à la main, je me mettais à trembler comme une feuille.

— Eh bien, les morts sortent du temps, ils retournent au néant, ils se jettent dans mon sein, ils entrent dans l'éternité. Ils regagnent le royaume, sans frontières et sans roi, où le néant est esprit, qu'ils avaient quitté en naissant pour entrer dans le temps.

— Le royaume des morts est-il identique, dis-je avec effort et en claquant des dents, au royaume de ceux qui ne sont pas encore nés ou qui ne naîtront jamais ?

— Voilà une bonne question. Il y a une différence entre les deux royaumes : ceux qui sont morts ont vécu. Ils sont passés par le temps. Par ses bonheurs. Par ses désastres. Par sa diversité et son incertitude. L'éternité, elle, est une, immobile, infinie. Elle est la simplicité même. Avec son flux perpétuel, avec son passé et son avenir, avec sa flèche irréversible, le temps est multiple, mobile par définition, indéfiniment morcelé. Complice permanent du mal qui s'est logé en lui, le temps est l'image même et le symbole de la complexité de l'univers.

Que vous ne passiez pas votre temps à vous interroger sur son mystère me serait une stupeur si ce n'était pas moi qui l'avais organisé. Une grâce venue d'ailleurs permet aux hommes si fiers de leur pensée de l'appliquer à autre chose qu'à ce qui devrait les occuper sans répit : cette forme privée de forme qui les emporte sans trêve, ce fleuve sans rives et sans eau qui ne cesse de couler et dans lequel ils sont plongés de leur naissance à leur mort, cette absence si présente qui est la marque de ma puissance et qu'ils appellent le temps.

Les mêmes maîtres qui t'ont parlé à propos de l'éternité, de la Terre effleurée par l'aile débile d'un oiseau t'ont sans doute ressassé la fameuse formule : le sage est celui qui ne s'étonne de rien. Quelle erreur, à nouveau ! Le sage – et le savant – est celui qui s'étonne de tout. Et d'abord de l'évidence. Rien n'est plus trompeur que l'évidence si fausse du temps.

Simon, qu'est-ce que le temps ?

— Seigneur, je crois savoir, comme tout le monde, ce qu'est ce temps si familier. Mais dès que tu me poses la question, je me trouble et ne le sais plus.

— Alors, là, éclata André, franchement, c'est trop fort ! Cette fripouille de Simon pousse le bouchon un peu loin. Saint Augustin pour la deuxième fois ! Toujours les *Confessions*, toujours le livre XI. Mais nous avançons de quelques pages : chapitre 14. De toute l'œuvre de saint Augustin, la formule sans doute la plus connue : « Qu'est-ce donc que le temps ? Si personne ne me le demande, je le sais bien ; mais si on me le demande, et que j'entreprenne de l'expliquer, je trouve que je l'ignore. »

— Quel voyou ! dit François avec sobriété.

Edgar leva les bras et les yeux vers le ciel.

— Bah ! dit-il, on ne va pas fêter Noël là-dessus.

Et il poursuivit comme si de rien n'était.

— Le temps est – avec l'espace, qui est du temps dégradé – la pierre sur laquelle j'ai construit l'univers. Te souviens-tu encore des termes du problème ?

— Séparer le tout du rien ! m'écriai-je.

— Séparer le tout du rien. Dans le néant primitif, tout était donné d'avance et ensemble. D'autant plus simple qu'il n'y avait rien. Le projet de l'esprit était qu'il y eût quelque chose. Que faire ? Le mot d'ordre : distinguer et unir.

Il fallait laisser sortir la présence de l'absence et le nouveau du néant. Et que la présence et le nouveau n'éclatent pas en tous sens. Distinguer et unir. Inimaginables dans l'infini, bien plus inconcevables dans le néant que l'éternité pour vous, l'espace et le temps sont chargés de distinguer les phénomènes et de les unir entre eux.

L'espace les distingue et les unit sur le mode de la simultanéité et de la coexistence. Le temps les distingue et les unit sur le mode de la succession. Au regard du néant éternel, l'un et l'autre représentent une invention et une nouveauté radicales. Et qui ne doivent rien au hasard.

La matière, la vie, la pensée, l'histoire, que nous verrons se développer tour à tour et surgir l'une de l'autre, il vous sera toujours permis de soutenir, avec plus ou moins de vraisemblance, qu'elles sont le fruit du hasard et de la nécessité. Mais l'espace, d'où vient-il ? Et, plus encore, le temps ? D'où sort-il, celui-là ? Qui osera soutenir que l'existence du temps ne soulève pas de problème et qu'il faut le prendre comme il est sans se poser de questions ? Qui osera prétendre qu'il pourrait, lui aussi, relever du hasard et de la nécessité ? Le temps est la marque de fabrique imprimée par mes soins sur ce tout que j'ai tiré du rien.

— Seigneur, dois-je comprendre que l'espace et le temps sont à la source de l'univers ?

— Bien sûr que non. Ce qui est à l'origine de l'univers, tu le sais déjà, c'est l'esprit auquel tu peux aussi donner le nom d'énergie. Si pleins de feu et de génie, l'espace et le temps sont incapables de rien créer. Ils constituent les cadres que s'est donnés l'esprit pour animer un tout d'où sortiront, coup sur coup, la matière, la vie, la pensée. Et seule la pensée des hommes sera en mesure de comprendre, ou d'essayer de comprendre, la splendeur mêlée de l'espace et du temps.

L'espace est une trouvaille. Rien, dans le néant, ne pouvait l'annoncer, même de loin, rien ne pouvait le laisser espérer. Les astres, la terre et la mer, les montagnes, les vallées, les déserts et les forêts, les créatures dans leur diversité, les choses et les êtres seront disposés les uns à côté des autres. Tout ne sera pas confondu en un tohu-bohu démentiel parce que l'espace qui unit sera aussi l'espace qui distingue. L'espace, bien entendu, sera mathématique. Il aura trois dimensions apparentes qui se prêteront à la mesure, et la géométrie se développera en son sein avec toute la rigueur attachée aux nombres, à leurs calculs et à leurs rapports. Pour qu'un peu de mystère subsiste chez ce grand garçon tout simple, il recèlera en son sein une bonne dizaine de dimensions cachées avec soin et qui ne s'abandonneront qu'avec réticence et pudeur aux avances de la science.

L'espace et le temps, mes deux enfants qui ne font qu'un, les jumeaux inséparables, je les ai aimés d'un même amour. Surtout à côté de son frère si vif et si brillant, l'espace, je le sais bien, est un rustaud placide, un lourdaud inoffensif. Il est un peu benêt. Vous autres, les hommes, sans la moindre vergogne, vous lui marcherez sur les pieds. L'espace sera la forme de votre puissance. Mais le temps, ah ! le temps, parce qu'il porte ma marque, parce qu'il est le reflet changeant de mon éternité, sera la forme de votre impuissance.

Tu as compris depuis longtemps qu'il y avait deux touts : le tout originel, éternel, infini, qui se confond avec le néant ; et puis votre tout à vous, passager et fini, qui est sorti de ce néant et que vous appelez l'univers. Parler de l'univers, c'est d'abord parler du temps. Toi, ta vie, ton milieu, ta planète, ta galaxie et toutes les autres, vous ne seriez rien sans le temps. Le temps est l'âme de l'univers. Il se confond avec lui.

— Seigneur, me risquai-je, tu viens de me dire que le temps ne créait rien...

— C'est vrai. Il ne crée rien. Mais il transforme tout : il développe ce qui existe. Il ne jette pas la semence. Il fait pousser la moisson. Qui crée ? C'est moi. Et, dans une certaine mesure, accessoirement, sur un mode mineur, c'est toi. Tu inventes des systèmes, tu composes des cantates et des opéras, tu fais vivre des personnages, tu représentes des scènes imaginaires, tu écris des livres. Moi, j'ai tout créé. J'ai créé la pointe d'épingle et je l'ai confiée au temps pour qu'il la change en histoire et en univers. L'univers n'est rien d'autre que le premier milliardième de seconde emporté par le temps. L'univers est de l'esprit travaillé par l'esprit.

Que le temps soit de l'esprit crève les yeux même des aveugles. L'espace, tu le vois, tu le mesures, tu peux le toucher sous forme de terre ou d'eau, tu le traverses dans tous les sens, tu vas, tu viens, tu reviens sur tes pas, tu le parcours et il est là. Même s'il ne cesse de s'accroître et de se dilater, il a quelque chose de rassurant. C'est un terrien, avec de la glèbe à ses souliers. Il est bon garçon, il inspire la confiance. On s'en ferait volontiers un ami. La preuve : vous voyagez. Le temps, lui, personne ne sait qui c'est. Il n'a ni taille, ni forme, ni odeur, ni saveur. Il est dissimulé et secret. Aussi présent que l'espace, il n'est pourtant jamais là. Il est toujours ailleurs. Il a quelque chose d'un voyou. Comme la pensée et l'esprit, il est subtil et inquiétant.

Quelques-uns d'entre vous se sont imaginé que le temps était lié à votre pensée. Avant votre apparition, le temps coule pourtant déjà. C'est dans le temps que la matière se forme, que le Soleil se met en place parmi les autres astres, que la Terre se prépare à accueillir la vie. Ce qui est vrai, c'est que votre pensée va entretenir avec le temps des relations si étroites que le temps s'imprégnera de pensée et que la pensée s'imprégnera de temps.

La pensée des hommes est indépendante de l'espace. Et la pensée domine l'espace. Le temps, au contraire, emporte avec lui les sentiments, les passions, les rêves et la pensée. Les passions changent avec le temps, les rêves sont soumis au temps et, malgré ses grands airs, la pensée elle-même ne se développe que dans le temps. Inversement, en représailles, la pensée s'empare du temps. Elle établit des calendriers qui ne coïncident pas toujours entre eux, elle fixe des échéances, elle se glisse de force dans le passage, réglé par les astres, des jours, des mois, des saisons, des années et elle invente les catégories arbitraires des secondes, des minutes, des heures, des semaines, des siècles, des millénaires ou des ères géologiques. Elle repère surtout dans les flots tumultueux du temps trois personnes très distinctes.

Je fronçai les sourcils.

— Trois personnes ?..., demandai-je.

— Le passé, le présent, l'avenir.

Qu'est-ce que le présent ? Où est le présent ?

— Le présent ? lui dis-je. C'est ici, c'est maintenant.

— Voilà. Le présent, c'est maintenant. Contentons-nous, pour l'instant, de cette approximation. Où est le passé ?

— Euh..., lui dis-je à nouveau. Le passé, c'est hier, c'est avant-hier et c'est encore avant.

— Et où est l'avenir ?

— C'est demain, lui dis-je.

— Le présent étant ici et maintenant, peut-être pourrions-nous avancer que le passé est derrière toi et l'avenir, devant toi ?

— Ah ! oui, m'écriai-je. C'est ça ! Le passé est derrière et l'avenir est devant.

— Il est un peu curieux que, si fluide, si abstrait, presque inexistant, le temps se transforme soudain en quelque chose qui est devant et quelque chose qui est derrière. C'est que le temps, d'un côté si présent – il faut se lever à 7 heures ou à 6 h 30, être au travail à 8 heures, déjeuner à 1 heure, retourner au travail à... etc. –, est, de l'autre, si absent qu'il faut passer par l'espace pour traduire son mouvement : l'ombre du style sur le gnomon ou sur le cadran solaire, le sable du sablier, l'eau de la clepsydre, l'aiguille de l'horloge ou de la montre... Rien de surprenant à retrouver le passé derrière vous et l'avenir devant vous. Il sont, naturellement, tous les deux bien ailleurs.

— Où ça ? demandai-je.

— Mais dans l'esprit, bien entendu. Où voudrais-tu qu'ils soient ? Ils y sont d'ailleurs dans un état difficile à décrire et même à imaginer...

Revenons au présent, si simple, si accommodant, sans complication apparente, au statut lumineux. Dans quoi vivez-vous ?

— Dans le présent ! m'écriai-je.

Je me mis à danser autour du présent en train de tomber du ciel : c'était une belle jeune femme et elle me tendait les bras. Elle me souriait, je me jetais vers elle. Chaque fois que j'allais l'étreindre, elle faisait un pas de côté et se dérobait à moi. Et, à peine, dépité, m'étais-je éloigné d'elle qu'elle me rappelait de la main.

— Vous ne cessez jamais de vivre dans le présent. Votre passé et votre avenir eux-mêmes, vous ne pouvez en parler, vous en souvenir, le prévoir que dans votre présent. À votre mesure au moins, ce qu'il y a de plus proche de l'éternité, ce n'est pas la longue durée, c'est l'instant présent. Du berceau à la tombe, vous ne quittez jamais cette fragile éternité. Mais, infernale et subtile, la machine est si bien montée qu'étant sans cesse dans le présent vous n'êtes jamais capables de le saisir ni de vous y arrêter. Vous pouvez toujours crier à l'instant présent : « Arrête ! Tu es si beau ! », personne ne réussira jamais à se saisir du présent et à l'immobiliser. Te souviens-tu de la définition provisoire que tu avais proposée du présent ?

— J'avais dit, je crois : le présent, c'est maintenant.

— À peine as-tu prononcé le mot « maintenant » que ta parole et l'instant auquel elle s'appliquait ont déjà disparu dans la nuit du passé. Inutile d'essayer d'être plus rapide que la parole. Tu claques des doigts ? Fini. Déjà passé. Tu siffles ? Fini. Déjà passé. Si brève que soit la durée à sauver du naufrage, impossible de lutter contre le torrent qui l'emporte et de lui tenir, fût-ce un millième de seconde, la tête hors du courant. Mince, fluet, constamment attaqué, soumis par nature à ses puissants voisins, votre éternel présent est coincé entre l'avenir qui lui fournit sa substance et le passé qui la lui arrache aussitôt. Ah ! comme il est frêle, le présent, entre les deux masses énormes et également menaçantes de l'avenir et du passé !

— Menaçantes ?...

— L'avenir est menaçant parce que vous ne le connaissez pas et qu'il va arriver. Et ce qu'on ne connaît pas est toujours inquiétant. Et le passé est cruel parce que vous l'avez connu et qu'il vous a quittés à jamais. Et tout le désespoir du monde est dans ces mots : « à jamais ».

De part et d'autre de votre présent si fragile, le passé et l'avenir sont des monstres assoiffés de temps. L'un – l'avenir – est impatient de tomber dans le présent. L'autre – le passé – est impatient de se nourrir de ce même présent. À peine l'avenir s'est-il changé en présent qu'il est dévoré par le passé : votre fameux présent ne désigne que la frange étroite, le grain de sable, le cheveu sans épaisseur qui sépare le passé de l'avenir. À la limite, il est permis de soutenir que le présent n'existe pas.

— Il n'existe pas !

— Il est seul à exister et il n'existe pas. Il n'y a que lui – et il n'est rien. Vous passez votre existence dans quelque chose qui n'existe pas et que vous appelez le présent.

La confusion du néant et du tout avant la création a pu te paraître étrange et difficile à comprendre. Ce qui se passe à chaque instant dans la banalité de ta vie de chaque jour et qui, par un miracle sans cesse recommencé, te semble aller de soi est autrement invraisemblable. L'invraisemblance vous échappe. Vous ne vous en doutez même pas. Le temps vous est aussi familier que votre propre corps, ou la langue que vous parlez ou l'air que vous respirez. Pour un esprit venu de nulle part et qui ne connaîtrait pas votre univers, le mécanisme du temps paraîtrait inconcevable.

Je suis le Dieu caché. La trace éclatante de la réalité de l'esprit, je l'ai laissée dans le temps. Parce que les hommes vivent dans le temps, ils sont plongés dans mon mystère. Ils ne disposent pas de ses clés, mais au moins savent-ils – sauf à se boucher les yeux – que leur vie est une énigme dont ils ont à chercher la réponse.

Ils l'ont cherchée, cette réponse, ils la chercheront tout au long de ce temps dont est fait l'univers. Et ils ne l'ont pas trouvée. Et ils ne la trouveront pas. Penser le monde est une tâche infinie. Penser le temps est tout aussi inépuisable. Parce que le temps est l'étoffe de l'univers.

Au début de votre tout, quand le temps va surgir de l'explosion primitive, le passé n'existe pas. Il n'y a que de l'avenir. L'histoire ne commence pas avec le souvenir, elle commence avec la promesse. Il n'y a rien à se rappeler, il y a tout à espérer. La première catégorie de la conscience historique, ce n'est pas le souvenir, c'est l'annonce, l'attente, la promesse. À mesure que le temps passe et que l'univers se développe à partir de la pointe d'épingle, l'immense avenir se restreint, la promesse se change en souvenir et le passé se gonfle. L'univers est une machine à créer du passé.

À l'origine, l'avenir est tout et le passé n'est rien. À la fin, il n'y aura plus d'avenir et le passé sera tout. L'histoire n'est rien d'autre que le combat entre le passé et l'avenir autour d'un présent toujours là et pourtant toujours absent. Dans cette lutte sans fin apparente, l'avenir s'avance comme la puissance dominante qui ne cesse jamais de l'emporter, avec ses ressources toujours nouvelles et qu'on dirait sans fin, sur un passé qui bat en retraite et qui ne sait rien faire d'autre que tomber dans le souvenir. Mais le vainqueur, en fin de compte, sera le passé, appuyé sur la mort. Un jour viendra, ou une nuit, où l'avenir assiégé, épuisé, à bout de forces, sera contraint de se rendre avec armes et bagages au passé triomphant. Votre tout ne sera plus alors que son propre passé.

Simon, je pourrais te parler pendant des heures de ma créature bien-aimée, le temps. J'ai aimé le jour et la nuit, les étoiles dans le ciel, le retour des saisons, la lumière et l'eau dont je te parlerai. J'ai surtout aimé le temps. Je me suis épaté moi-même d'avoir inventé cette invraisemblable évidence.

Il faut que tu apprennes que tout ce qui vous paraît aller de soi, comme le temps d'abord et comme tant d'autres choses, est un décret de l'Éternel et aurait pu ne pas être. Il n'y a pas d'évidences : il y a ma volonté. Elle est cachée comme moi-même. Je me dissimule derrière les grands espaces, derrière la longue durée. Ma volonté se dissimule derrière les instruments que je me suis donnés pour agir sur le tout. Elle s'exprime à travers le hasard et la nécessité.

Ce qu'il y a de plus intéressant dans la nécessité, cet enchaînement sans fin des effets et des causes, cette camisole de force passée à la nature pour la faire obéir, c'est qu'elle n'est pas nécessaire. Il n'y a pas de nécessité de la nécessité. La nécessité, dont vous aurez plein la bouche et que vous m'opposerez sans vous lasser, est arbitraire de part en part. Elle règne parce que je l'ai voulu. Elle aussi, comme le temps, aurait pu ne pas être.

Dans votre univers mathématique, elle est soumise aux nombres qui sont inscrits dans le ciel. Elle traduit la même rigueur, elle obéit aux mêmes lois. Elle rend l'univers logique, prévisible et vivable. Pataude, un peu grossière, banale jusqu'à la lassitude, bien moins intéressante et moins subtile que le temps, elle est, dans votre monde passager et mobile, le serviteur fidèle de mon éternité immobile. Elle est mon lieutenant et mon chargé de pouvoir.

Dans les trous de la nécessité se faufile le hasard : la tuile qui te tombe dessus, les rencontres imprévues, l'inattendu, l'invraisemblable. Le hasard, qui te laisse bouche bée et dont on a répété jusqu'à l'écœurement qu'il était au croisement – mais pourquoi ici ? pourquoi maintenant ? – de deux séquences de nécessité, est l'expression de ma pitié ou de mon impatience. La nécessité, c'est moi quand je me promène en uniforme pour faire respecter la loi. Le hasard, c'est moi quand je me déguise en chenapan pour la contourner par en dessous.

Peut-être t'en ai-je dit assez...

— Sûrement, laissa tomber François. Le temps me paraît bien long. Ce hasard, hasardeux. Et cette nécessité, peu nécessaire.

Edgar haussa la voix.

— ... pour que tu comprennes l'essentiel : votre réalité n'est que le rêve de Dieu. Elle est une île au cœur du néant, une parenthèse dans mon éternité. Tout ce qui est sorti du néant retombera dans le néant, tout ce qui est né au temps retournera à l'éternité. Ce qui l'emporte, c'est le passé. Ce qui triomphe c'est la mort.

J'avais, depuis longtemps, laissé tomber mon canotier. L'œillet à ma boutonnière était déjà fané. J'étais brisé de souffrance. Les sanglots m'étouffaient.

— Ne pleure pas, me dit le Seigneur. Même Dieu souffre du monde, même l'Éternel est enchanté par le temps. Vous n'êtes rien, mais votre tout aura changé l'infini. Cesse un peu de penser à toi. Pense à l'éternité. Elle ne sera plus jamais la même après le passage du temps.

La voix s'était tue. Tout décor s'était évanoui. La blancheur s'était effacée. Une musique de silence balayait la nuit obscure. J'étais seul dans mon rêve. Et, accablé de douleur, effondré sous le chagrin, je riais dans les larmes devant l'éternité.

Cinquième Jour

Un oiseau de passage : la vie

Le vent tourne – Deux homards ébouillantés – Dieu remis en jeu – Rien de ce qui a été n'aurait pu ne pas être – Aux yeux de l'Éternel, tout est simultané – La fin est dans le commencement – Un deuxième début – Tous les êtres circulent les uns dans les autres – Le vertige du tout – La lumière est l'ombre de Dieu – Réalité de l'invisible – L'hirondelle volerait-elle mieux si l'air ne la gênait pas ? – Portrait de l'eau en image de la vie – Ridicule de la science-fiction – La vie est un hapax dans le livre du tout – Une passagère pressée – Le professeur se rebiffe – Rêves de la statistique – Une chaîne articulée d'individus successifs – Rôle décisif et changeant du sexe – Les enfants sont la mort des parents – Étroitesse des liens entre le sexe et la mort – Toujours aimer, toujours mourir.

— Tu dors ? demanda André.

— Pas du tout, répondit François. Je réfléchis.

— À quoi ? Il fait très chaud.

— À votre sacré machin. J'avais d'abord cru à une mystification. En écoutant Edgar, j'ai changé d'avis. Le vent tourne. Je pense maintenant qu'il s'agit d'une œuvre de propagande, une manifestation rampante de ce que les Américains appellent *Intelligent Design*. Ou peut-être même une forme à peine atténuée de leur créationnisme.

— Absurde ! s'écria André.

Je levai la tête.

— *Intelligent Design ?*... Créationnisme ?... Qu'est-ce que c'est que ça ?

— L'*Intelligent Design* est l'affirmation, plus ou moins ouverte, plus ou moins camouflée, d'un ordre divin à l'œuvre dans l'univers. Le créationnisme est pire : il s'oppose à Darwin, refuse l'évolution, soutient que le monde et les hommes ont été créés par Dieu, il y a quelques milliers d'années à peine, tels qu'ils sont aujourd'hui, et prêche le retour à la vérité de la Bible.

— Ce n'est pas le cas de Laquedem, remarquai-je, de ses rêves, de son Dieu...

— En apparence, non. Mais le gaillard est habile. Et peut-être même dangereux. Dans le récit de ses délires, il y a à boire et à manger. D'un côté, inventif, ironique, plutôt libre d'esprit, désinvolte ; et de l'autre, réactionnaire. Et toujours irritant jusqu'à l'exaspération.

— Ah ! que voulez-vous, dit André en riant, Dieu lui est apparu. C'est une circonstance atténuante – et même exténuante. Beaucoup de gens croient en Dieu. Lui le rencontre, du moins en rêve, le fait parler et l'écoute. Il le remet en jeu. Et ce que Dieu lui raconte n'est pas si loin de saint Augustin, qu'il semble bien avoir lu, ou de Teilhard de Chardin.

— Ce qu'il y a de pervers chez lui, c'est qu'il capte votre confiance en semblant accepter toutes les conquêtes de la science. Très bien. Mais il les soumet aussitôt à un ordre des choses, à une obscure volonté, à un esprit suprême. Il ne nie pas le progrès : il le rattrape au vol et il le rend à Dieu.

Nous avions passé la journée en bateau. Edgar et François prenaient l'allure de deux homards ébouillantés. Nous buvions et fumions sous un soleil encore brûlant dont le figuier de la cour nous protégeait avec peine.

— Vous ne croyez pas, demanda Edgar, à cette histoire de rêves imbriqués l'un dans l'autre ?

— Bah ! répondit André.

— Pas un instant, dit François.

— Dommage, dit Edgar. J'aurais bien aimé. C'était intéressant.

— Ah ! bien sûr ! dit François. Intéressant peut-être, mais absurde.

— Et toi ? me demanda Edgar.

— Je ne sais pas, bredouillai-je. Tout est possible. Même l'absurde.

— On y va ? proposa André.

— À qui le tour ? demanda François.

— Mais à toi, dit André, nous y sommes passés tous les quatre. Nous avons fermé le cercle.

— Ah bon ! dit François.

Et, pour la deuxième fois, il s'installa, le cahier à la main, derrière la table de pierre.

***

Dieu me parlait maintenant chaque nuit. Le tumulte s'était apaisé. L'angoisse s'effaçait. Le Maître était là. Il n'y avait pas d'autre évidence. Tout devenait clair et simple.

Je marchais dans une forêt. Des arbres immenses s'élançaient vers le ciel que leur feuillage obscurcissait. Par terre, de la mousse, des ronces, de la bruyère. Un silence à peine rompu par le chant des oiseaux et le bruit de mes pas. J'aurais pu avoir peur si le Seigneur ne m'avait pris dans ses bras : j'entendais sa voix dans l'entrelacs des branches.

— Simon, plusieurs te diront que l'homme aurait pu ne pas être. Tu ne les croiras pas. Rien de ce qui a été n'aurait pu ne pas être. Tout ce qui existe existe nécessairement. Tout ce qui existe existait déjà à l'état de possible dans l'éclair des origines. Tout. Le ciel et la Terre, les galaxies, les dinosaures et leur fin, les conquêtes d'Alexandre et ton rêve de cette nuit. Ce qui ne s'est pas produit n'a aucune existence et ne pouvait pas en avoir, mais tout ce qui survient existe depuis toujours et existe pour toujours.

Je marchais. De gros nuages roulaient dans le ciel. Un lièvre, un tigre, un ptérodactyle, un éléphant passaient dans le lointain. J'écoutais la voix du Seigneur se mêler à la musique des brindilles et des feuilles mortes qui craquaient sous mes pas.

— Vous ne voyez surgir les événements et les choses qu'au fur et à mesure de leur apparition dans le temps. Chacun de vous est contemporain d'une minuscule parcelle du tout. Au regard de l'Éternel, tout est simultané, tout se déroule à la fois, tout est sans cesse présent. Je crée le monde en te parlant et, tandis que tu marches dans ton rêve et dans la forêt, le Jugement dernier tient déjà ses assises. La fin est dans le commencement.

Tu ne douteras pas que le monde ait été créé pour que la vie en surgisse et pour que les hommes y naissent. Mais tu ne croiras pas que les hommes soient le but de l'univers. Ils sont un état, qui ne pouvait pas ne pas être, du développement du tout. Ils passeront comme tout le reste. Ils ne sont rien ou presque rien parce que je suis tout et beaucoup plus que tout. Mais ils sont inéluctables comme le Soleil et la Lune, comme l'espace et le temps, comme les arbres de la forêt. Ils sont la fleur de cette vie passagère qui est un mystère dans le mystère.

La vie est un deuxième début après le début de l'univers. Aux yeux de votre science, ce deuxième départ est aussi invraisemblable que cette séparation du néant et du tout à laquelle vous avez donné – quelle idée ! – le drôle de nom de « big bang ». Tous vos savants, pour une fois, sont d'accord sur un point : les chances de voir la vie surgir de la matière étaient très proches de zéro. Au lieu de conclure à ma volonté et à ma toute-puissance, la plupart d'entre eux ont préféré supposer que le tout aurait pu passer à côté de l'homme et se poursuivre sans lui. Et ils ont décrété que l'homme était un hasard dans l'univers.

François s'interrompit.

— Merci beaucoup ! dit-il. Lire une déclaration comme celle-là qui attaque de front non seulement la majorité des savants d'aujourd'hui mais l'œuvre de toute ma vie est un peu violent ! Que ce soit à moi de réciter ces âneries et ces insultes à la science est un comble auquel, je l'avoue, je ne m'attendais pas.

— Ne te fâche pas, dit Edgar. Continue.

François secoua la tête, hésita, serra les lèvres, leva les bras au ciel et reprit sa lecture.

— L'origine de la vie est aussi stupéfiante que l'origine de l'univers parce que, dans un cas comme dans l'autre, une nouveauté absolue fait son apparition. À partir du rien, la première fois. À partir de la matière, la deuxième fois. Le passage du néant à quelque chose est évidemment, tu t'en doutes, plus bouleversant que le passage de quelque chose à autre chose. Un peu moins d'une dizaine de milliards de vos années après la pointe d'épingle, les lois de la nature étaient déjà établies avec assez de fermeté pour qu'il n'y eût rien d'autre à faire que de les laisser jouer. Dans cette marge si étroite de circonstances favorables et de possibilités improbables que vous appelez le hasard, je les ai laissés jouer, je les ai fait jouer.

— Typique ! s'exclama François.

— Qu'est-ce que la vie ?

— J'ai appris jadis, murmura André, que c'était l'ensemble des forces qui résistent à la mort...

— C'est une autonomie doublée d'une capacité de reproduction. Pendant dix milliards d'années, l'univers n'est pas immobile – le mouvement y règne dès l'origine, se servant du temps pour parcourir l'espace –, mais il est inerte, mécanique, uniforme, incapable d'invention. Quatre ou cinq milliards d'années avant toi, je lui ai insufflé un élan radicalement nouveau. Il n'y a pas rupture entre la matière et la vie : il y a continuité. La vie est de la matière animée. Entre une pierre, une plante, un animal, un homme court un fil continu. Tous les êtres circulent les uns dans les autres. Tout est en flux perpétuel. Tout animal est plus ou moins homme, tout minéral est plus ou moins plante, toute plante est plus ou moins animal. Il n'y a qu'un seul individu, c'est le tout. Naître, vivre et passer, c'est changer de forme.

— Il faut bien le reconnaître, murmura André : nous voilà assez loin du créationnisme.

François lui jeta un regard courroucé.

— Pour te permettre d'être là, j'ai préparé le terrain pendant des millions et des milliards d'années. Tu avais besoin de l'espace et du temps, tu avais besoin du mouvement, tu avais besoin de l'attraction, tu avais besoin du Soleil et de la Lune. Tu avais besoin du tout jusqu'à ses détails les plus infimes, et j'ai créé le tout avec tous ses détails. Je pourrais te parler de l'immensité de l'univers auquel tu es lié, de chacune de ses facettes, de toutes ses lois mystérieuses et cohérentes sans lesquelles tu ne serais pas. Que serais-tu sans le hasard et la nécessité, sans l'avenir et le passé, sans la gravitation, sans les odeurs et les sons ? Que serais-tu sans les couleurs ? Que serais-tu sans la lumière ?

J'ai créé la lumière. Quand tu n'étais pas encore là, quand aucun homme n'était là, des milliards d'années avant les dinosaures qui ont disparu des millions d'années avant toi, la lumière était là. La lumière ! Peut-être – avec le temps – ce que j'ai fait de mieux. Je ne te parle même pas des couleurs, du ciel bleu qui devient rouge quand le soleil se couche, ni des plumes du paon ou du cacatoès, ni de la coccinelle qui m'est chère...

— Ah ! bien sûr, m'écriai-je, c'est la bête à bon Dieu !

— ... ni des ailes des papillons, ni des rayures du zèbre ou des taches du guépard. Je parle de la lumière qui éclaire l'univers.

La lumière, comme le temps, rien de plus simple pour vous autres. Idiots du village, notaires, femmes du monde, rappeurs, animateurs de radio ou de télévision savent de naissance – ou croient savoir – ce qu'est le temps, si compliqué, ce qu'est la lumière, si obscure. Peux-tu imaginer ce qu'était le temps avant toi, avant les hommes, avant la vie ? Et ce qu'était la lumière avant qu'il y eût des yeux pour la voir ?

— J'ai du mal, lui dis-je. Quelque chose m'emporte qui est très dur et très fort : c'est le vertige du tout.

— La vie, l'homme, la pensée se sont emparés de l'univers avec tant de violence qu'il n'existe plus que par eux. Il existait avant eux. Qu'était donc le temps quand il ne passait pour personne ? Quand le Soleil et la Lune n'étaient pas encore là pour permettre sur la Terre l'alternance du jour et de la nuit ? Qu'était donc la lumière quand elle ne brillait pour personne ? Longtemps, beaucoup d'entre vous ont cru que la lumière était composée de corpuscules. Longtemps, d'autres ont pensé que la lumière n'était rien d'autre que des ondes. Elle est faite d'ondes et de corpuscules, de corpuscules qui ondulent, d'ondulation de corpuscules. Elle est surtout une marque, encore une, à la fois de mon absence et de ma présence dans un tout qui aurait pu rester obscur si je n'avais tiré du néant l'idée inouïe de lumière. La lumière est l'ombre de Dieu.

Le temps avant la vie attendait d'être vécu. La lumière avant la vie attendait d'être vue. À quoi la lumière aurait-elle pu servir si la vie n'était pas née, s'il n'y avait pas eu d'organismes capables d'en profiter ? J'ai le regret de te le dire, en contradiction avec tant de grands esprits qui sont le sel de la terre et dont je te reparlerai parce qu'ils s'opposent à moi et que je suis venu pour eux au moins autant que pour toi : l'univers, qui est si grand, n'a de sens que parce que l'homme y est apparu dans un coin minuscule.

François s'arrêta à nouveau.

— Énorme ! s'écria-t-il.

— Il n'est pas, et de très loin, la dernière apparition à lui donner un sens. Il n'est pas, tu le sais déjà, sa raison d'être ni sa fin. Et il n'est pas apparu d'un coup de baguette magique ni sur un claquement de doigts. Vous n'êtes plus dans l'éternité. Vous êtes dans un monde que j'ai livré à lui-même. L'univers tout entier sort de l'explosion primitive et se déroule en une histoire qui a ses lois et son rythme, avec ses étapes et ses paliers. La vie est une étape, la vie est un palier. Avant que la vie, comme le tout et comme tout, ne finisse elle-même par passer, il a fallu passer par la vie, il a fallu passer par les hommes.

Que de circonstances et de conditions qui pourraient être mises en formules mathématiques auront été nécessaires à l'éclosion de la vie ! Elles sont comme un éclair, un grain de sable, à peine un clignement d'œil dans mon éternité – et je pourrais t'en parler pendant toute la durée de ta vie ici-bas. Pour te faire venir au monde, il a fallu l'espace et le temps, les nombres, le mouvement, l'attraction, la lumière. Parmi des milliers et des milliers d'autres choses qui seraient très capables de nous occuper sans fin, il a fallu aussi deux éléments d'une audace violente et d'une subtilité au bord de l'inexistence : l'air et l'eau.

Autrement moins doué, à mille lieues au-dessous de lui, l'air est comme le temps : tu ne le vois pas, tu ne l'entends pas, tu ne peux pas le toucher, il n'a ni odeur ni saveur, et pourtant il est là. L'invisible existe aussi. L'inaudible existe aussi. Et sans eux, tu ne serais pas.

L'air est le domaine des aigles, des hirondelles, des abeilles, des papillons. Peut-être arrive-t-il à l'hirondelle de se dire qu'elle volerait mieux si l'air ne la gênait pas ? Il ne se laisse pas intimider. Il soutient les ailes, il enfle les poumons, il s'entend bien avec les forêts, les vents ont besoin de lui, et les sons, et le sang, il est le complice de la vie. L'air est le compagnon déshérité de la lumière dont il n'a ni la splendeur, ni le charme, ni l'universalité. Il est modeste et utile et il entretient avec la musique et le chant des liens qui lui font honneur et qui le transfigurent.

L'eau, en un sens, est plus grossière que l'air. Elle est plus proche de l'idée que vous vous faites de la matière. Chacun peut la voir et la toucher ; il t'est sûrement arrivé d'entendre son grondement ; au moins en principe et dans les livres, insipide et inodore, il lui est plus aisé qu'à l'air, emporté par le vent, de présenter odeur et saveur. Elle est moins répandue que l'air, qui est moins répandu que la lumière, qui est moins répandue que le temps qui est partout chez lui. Mais là où elle est présente, l'eau est une reine très puissante.

Plus dense que les états gazeux, moins ferme que les minéraux, elle est une espèce de matière qui ne serait pas sortie encore de son adolescence. Elle a quelque chose de rieur, de primesautier, d'inachevé. Elle est transparente et elle n'a aucune forme. Il lui arrive aussi de se constituer en masses immenses qui émeuvent les cœurs purs : alors elle devient bleue, verte, grise, parfois argent ou noire, et se fait chanter par les poètes et par les romanciers. Et elle est capable d'une violence qui ne prête pas à rire. C'est un monstre plein de grâce dont la vie ne saurait se passer et qui s'attaque souvent à elle.

J'aime beaucoup l'eau. Moins que la lumière, bien sûr, qui va si vite, et même plus vite que tout. Mais beaucoup. Quand je l'ai vue couler en cascades du haut des montagnes et des glaciers, s'étaler dans les plaines en longs rubans paresseux, se rassembler en foule entre les continents, tomber du ciel goutte à goutte sur les forêts et les champs, j'ai éprouvé du bonheur. Elle est imprévisible. Elle m'étonnera toujours. Quand je l'ai inventée, je n'étais pas mécontent.

Elle est sérieuse et frivole. Elle est solide et fluide. Tu la prends dans tes mains, elle glisse entre tes doigts. C'est une matière à la fois assez souple et assez résistante pour que tu puisses pénétrer en elle et qu'elle puisse pénétrer en toi. L'eau coule de ville en ville, les bateaux la labourent, elle rend la terre fertile et, sous le soleil brûlant, tu te jettes dans ses bras et elle apaise ta soif. Elle sait aussi tuer avec une sûreté infaillible. Insaisissable et changeante, l'eau est l'image de la vie : elle est cruelle comme elle et enchanteresse comme elle.

À des degrés divers, le temps, les nombres, l'attraction, la lumière règnent partout dans l'univers. L'air, dans les limites de température très étroites qui vous sont indispensables, est-il présent ailleurs que sur votre risible planète ? L'eau, dont vous ne pouvez vous passer, peut-elle être trouvée hors de votre système solaire et dans d'autres galaxies ? Enfermés dans votre prison dont vous rêverez de vous évader, une des questions que vous vous poserez avec obstination en contemplant le spectacle de la nuit étoilée et en ressassant sans fin l'immensité des cieux sera de savoir si la vie a pu naître ailleurs que sur votre Terre minuscule.

— Ah ! oui, m'écriai-je sottement et en m'agitant un peu, je voudrais bien savoir si nous sommes seuls dans l'univers !

— Je vois ton impatience, si largement partagée par les tiens qui rêvent de monstres venus d'ailleurs. Désolé de te décevoir. Les envahisseurs n'existent pas. Et les petits hommes verts, pas davantage. Les messages que vous envoyez sous une forme ou sous une autre vers les autres planètes resteront sans réponse. Vos fameux objets volants non identifiés relèvent de l'imagination. Quand elle fait intervenir une intelligence extraterrestre, la science-fiction est un délire, le plus souvent ridicule. Au moins dans ses formes les plus évoluées, il n'y a de vie que sur la Terre. Comme la longue durée, comme les milliards d'années, l'immensité presque sans limites de l'univers autour de vous n'est là que pour me dérober à vos regards et à votre inquiétude : elle ne fait rien à l'affaire, elle ne multiplie pas les chances d'une vie extraterrestre. Votre vie et naturellement l'intelligence sont une spécialité régionale. Leurs conditions d'apparition sont si exceptionnelles qu'elles n'ont pu surgir qu'une seule fois dans l'espace et dans temps. Tout ce que romanciers et savants ont pu imaginer en matière de scénario est toujours emprunté à votre Terre natale.

Qu'il y ait dans l'univers – et au-delà de l'univers – beaucoup de choses stupéfiantes et proprement inconcevables que vous êtes bien incapables d'imaginer et qui vous feraient sécher d'angoisse sur place si vous les connaissiez, tu ne dois pas en douter. Mais ce ne sera jamais rien qui ressemble à votre vie. La vie est un hapax dans le grand livre du tout. C'est un oiseau de passage qui ne se lève qu'une fois sur le monde.

— Un hapax ?..., bredouillai-je.

— C'est un mot, dit Edgar très vite, dont nous n'avons qu'un seul exemple dans toute la littérature.

— Vous conquerrez l'espace. Et vous ne trouverez jamais et nulle part une vie comparable à la vôtre.

Votre vie ne durera pas toujours. Mais au moins, tant qu'elle se poursuit, elle est à vous et à personne d'autre. Renfermée dans son coin, la vie est une passagère pressée de l'univers et du temps. Limitée et fragile, elle est votre bien exclusif.

François s'interrompit.

— Les bras m'en tombent ! s'écria-t-il. Nous allons passer nos seules vacances de l'année et notre séjour dans cette île dont nous ne profitons plus guère à écouter des fadaises – et à les réciter ! Et le comble, c'est que votre Simon Laquedem de malheur me contraint à me battre à fronts renversés. Le plus souvent, je pars en guerre contre la vogue des ovnis, contre la presse à sensation qui découvre dans des alignements de pierres ou des dessins qui apparaissent sur des terres vues d'avion les traces d'extraterrestres en visite clandestine. Voilà qu'il me force à défendre contre lui le point de vue opposé !

La vérité, pour une fois, est très simple : de la vie ou de l'absence de vie sur des planètes éloignées, personne ne peut rien dire, personne ne sait rien. Il est très exact que la probabilité de l'apparition de la vie sur la Terre était extrêmement faible. Mais l'univers est si démesuré et le nombre des planètes vraisemblablement si prodigieux qu'il est impossible d'exclure l'éventualité d'un surgissement de la vie, sous une forme ou sous une autre, dans d'autres coins de cette immensité. La statistique s'oppose à ce que je viens de lire. Le personnage central des rêves de Simon Laquedem me semble bien présomptueux. Il prend des risques considérables en assurant que la vie est notre propriété exclusive. Ce n'est pas la première fois que je le pince en flagrant délit de contrevérité. Je ne pousse pas des cris à tout bout de champ, mais je me méfie de ce qu'il dit et je n'accepte presque aucune de ses affirmations.

— Personne ne te demande de les accepter, dit Edgar. Ce qui m'intéresse chez Laquedem, ce ne sont pas les déclarations qu'il prête à son interlocuteur, c'est son propre mécanisme. Qu'est-ce qui le fait délirer ? D'où tire-t-il ses fantasmes ? Pourquoi Dieu figure-t-il dans ses rêves successifs ? Sommes-nous en présence d'un cas de folie mystique ?

— Ou d'une blague ? dit André.

— Peut-être un peu long pour une blague ? suggérai-je.

— Si nous laissions François continuer ? proposa Edgar.

François but un coup et se remit à lire.

— Au moins en apparence, la vie introduit l'autonomie dans un coin minuscule d'une machine gigantesque dominée par les nombres. À l'ombre de la vie s'avancent deux forces formidables qui mèneront jusqu'à toi : la reproduction et, au loin, très loin, ambiguë et puissante, ivre d'elle-même, toujours prête à se retourner contre moi, la liberté. Il n'y a que deux libertés, ou deux prétendues libertés, face à face dans le tout : il y a moi, et il y a vous.

Le tout, avant la vie, est rigoureusement mathématique. Il n'obéit qu'aux nombres qui n'obéissent qu'à moi. L'univers est une machine. La liberté n'existe pas. Quand se mettent à tourner les astres qui vous sont familiers, votre Soleil, votre Lune, la Terre elle-même, dix milliards d'années se sont déjà écoulées.

Après la formation à peu près définitive de votre Terre, tout est prêt pour la vie et la vie arrive très vite : à peine quelques centaines de millions d'années et, sous le Soleil, à l'air chaud, dans le miracle de l'eau, elle passe le bout de son nez avec timidité. Les hommes se feront attendre plus longtemps : il faudra un peu moins de cinq milliards d'années pour qu'apparaissent des êtres qui commencent à te ressembler. Je vous ai éloignés de moi pour que vous ayez plus de mal à me chercher et pour que vous puissiez m'ignorer.

Encore cinq autres milliards et votre Soleil disparaîtra. Il aura brillé quelque dix milliards d'années. Comme le Soleil et comme tout, la vie, telle que vous l'entendez et telle que vous la chantez, parce qu'elle a eu un début aura aussi un terme. Qu'aura-t-elle fait tout au long de son règne si long et si bref et, à ses yeux, triomphant ? Des choses innombrables et sans fin qui défient toute description. Mais surtout elle se sera reproduite.

La matière, les gaz, les astres, l'air, l'eau, les minéraux, les pierres ne se reproduisent pas. Ils durent, mais ils ne revivent pas sous la forme d'individus semblables et pourtant différents. Avec la vie, flanquée de la mort et de la reproduction, une souplesse nouvelle fait son entrée sur la scène d'un univers longtemps figé jusque dans son mouvement. J'ai inventé le temps, j'ai inventé la lumière. Et j'ai inventé un système qui, lui aussi, par une grâce proprement divine, vous paraîtra aller de soi et qui n'a pourtant rien d'évident : une chaîne articulée d'individus successifs, étalés dans le temps, qui constituent des familles, des espèces, des genres, et parmi lesquels se glisse le ferment qui va mener jusqu'à toi : l'évolution.

La vie est faite d'individus. La reproduction entre les individus aura longtemps été assurée par le sexe. Le sexe ne sera pas le seul instrument de la reproduction et il interviendra assez tard. Une fois installé chez des espèces de plus en plus autonomes, il sera le grand pourvoyeur de l'évolution et, chez vous, les hommes, il jouera un rôle décisif. Il est mon œuvre et mon rival. Il est mon allié et mon ennemi. Chargé en principe de faire naître des enfants à travers le plaisir, il contribuera, plus que quoi que ce soit, à faire naître bien autre chose : des rêves, des attentes, des chagrins, des bonheurs, et puis des épopées, des sonnets, des tragédies, des romans, des peintures et des sculptures. Plus insaisissable encore que l'air, plus fluide et plus puissante que l'eau, verra lentement le jour une réalité lumineuse et dansante qui bouleversera votre monde : la culture. Elle reposera sur la mémoire, sur l'imagination, sur le talent, sur le génie. Et d'abord sur le sexe.

— N'importe quoi ! dit François.

André poussa un grognement.

— La répétition et le changement sont les clés de la reproduction. Les enfants ressemblent aux parents et ils ne leur ressemblent pas. Comment ne leur ressembleraient-ils pas puisqu'ils sortent d'eux et qu'ils sont faits par eux ? Vous pourriez même vous demander pour quelle raison obscure – et très claire : il faut que l'histoire avance – les enfants ne sont pas la réplique exacte des parents. Et comment leur ressembleraient-ils puisqu'ils sont autre chose qu'eux ? Les générations successives s'imitent et se combattent. Les enfants sont les surgeons inépuisables d'une vie qui n'en finit pas de se répéter et de changer et ils sont la mort des parents.

La mort. Les parents meurent. Et, pour être plus sûrs de mourir après – ou avant – les parents, les enfants se hâtent de devenir parents à leur tour. La vie est aussi la mort. Et peut-être est-elle d'abord la mort. Vivre, c'est commencer à mourir. Les vivants meurent parce qu'ils vivent et ils se reproduisent parce qu'ils vont mourir. Ils vivent pour mourir et ils meurent parce qu'ils se reproduisent. Entre le sexe et la mort, j'ai noué des liens si étroits qu'ils éclairent d'une lumière sombre tout ce qui se rapporte à la vie. La vie est faite pour mourir et, sous d'autres espèces au moins, pour renaître de la mort. Pour quelque temps encore, le triomphe de la vie ne cesse de se combiner au triomphe de la mort.

Pour vous surtout, les hommes, qui aurez été si longtemps et l'espace d'un éclair à l'extrême pointe de la vie, deux mots suffiront à expliquer les quelques millions d'années que vous aurez passées dans le temps : aimer et mourir. Avec un troisième mot qui va nous occuper, toi et moi, avant de nous séparer : penser.

Toujours aimer, toujours mourir. Les hommes mangent, boivent, dorment, travaillent, ont des besoins naturels, se livrent à l'argent, au pouvoir, à la beauté, à la haine. Et, d'abord et avant tout, ils aiment et ils meurent. Et ils pensent. À quoi ? À peu de choses et à tout. Ou à rien. À eux, bien sûr. Et aux autres. À leur vie et au monde. Et à moi. Contre moi, bien souvent. Et, pour toujours, en moi.

***

— Eh bien, dit André, je me suis beaucoup amusé.

— Moi pas ! bougonna François. Je ne décolère pas. Un manuscrit comme celui-là devrait être interdit. Au milieu de lieux communs, de platitudes, de portes grandes ouvertes qu'il enfonce avec fracas, il répand des faussetés, des approximations souvent délirantes, des hypothèses manifestement erronées. Je tremble à l'idée qu'il puisse, en dépit de sa sottise, exercer une influence sur des esprits faibles ou sur des enfants abusés.

— Messieurs ! s'écria Edgar en agitant ses bras, restons calmes. Nous disputer sur des pages dont nous ne savons presque rien, ni l'origine, ni l'intention, ni la véracité, serait faire trop d'honneur à Simon Laquedem – s'il existe. Je ne vous ai pas apporté ce cahier pour vous monter les uns contre les autres, mais pour obtenir vos opinions, si différentes puissent-elles être.

— Nous mourrons tous, dis-je dans un souffle. En attendant, si nous allions nous coucher ? Il est déjà tard, la nuit est tombée depuis longtemps, nous avons eu une longue journée de soleil et de mer, Edgar et François sont sérieusement brûlés et, si nous voulons aller demain au monastère de Panormitis, à l'autre bout de l'île, il faudra nous lever de bonne heure.

Tout le monde approuva mes paroles. Nous passâmes encore quelques minutes à boire et à parler de choses et d'autres sous le ciel étoilé qui brillait sur nos têtes et dans les rêves agités de Simon Laquedem. Et puis, ivres de soleil, de pomerol et de mots, nous regagnâmes nos chambres. Et la maison leva l'ancre pour la traversée de la nuit.

Sixième Jour

Penser, et tout le toutim

Les popes de Panormitis – Caractère local du troisième début – Qu'est-ce qui clignote dans l'ombre ? – Chaque homme est le centre du monde – Au bout du scalpel – Invraisemblance de la pensée – Difficulté de la penser – Un chat prend le tramway, un dauphin joue aux barres – La pensée est une machine, et elle est bien autre chose – Un tournant dans la carrière si romanesque du tout – Naissance de la morale et de la mathématique – L'homme est seul, avec Dieu, à penser l'univers – Commentaires sur des commentaires – Le tout redevient une pensée – La parole est de la pensée changée en son – Fragilité de la parole – La parole dans le temps, l'écriture dans l'espace – Déclin des livres – Un coin du grand voile – Ce qu'il y a de plus incompréhensible, c'est que le monde soit compréhensible – La vie est belle – Sans la pensée, le tout n'est rien.

Voilà que Simon Laquedem, comme nous l'avaient annoncé les déplorations de François, tenait une grande place parmi nous. Nous nagions, nous nous promenions sous le soleil qui tapait de plus en plus fort, nous rôdions de baie en baie à bord de notre *Aghios Nicolaos*, nous buvions ce qui restait de pomerol et un peu de vin résiné, nous fumions les cigares distribués par André – et nous tournions et retournions dans nos têtes, sans trop nous l'avouer, les rêves et les délires de l'inconnu des Buttes-Chaumont.

Le monastère de Panormitis, à l'autre bout de l'île, est une pâtisserie blanche, flanquée de terrasses et d'escaliers. Nous regardions la mer d'une des cellules que les popes aux longues barbes proposaient de nous louer à la journée, à la semaine ou au mois. Comme souvent en Italie ou en Grèce, l'envie me traversa soudain de m'installer un bout de temps dans ce silence et cette paix pour terminer un roman que j'avais entrepris sur les changements apportés à nos façons d'être et de penser par les horreurs et le génie du siècle qui s'éloignait.

— Ah ! bien sûr, me soufflait André, accoudé auprès de moi au rebord d'une de ces fenêtres qui donnaient sur le vide, rien de plus tentant que de nous enfermer, loin des tracas et de la foule, dans cette blancheur et dans cette liberté. Mais, pour le moment, j'ai surtout envie de retourner sous notre figuier écouter la suite des confidences de Dieu.

— C'est nous qui t'écouterons, lui disais-je. Toi, tu parleras, puisque c'est à toi de nous lire les rêveries du maboul.

— Tiens ! disait André. À nouveau mon tour ? Déjà ?

Nous avions si grande hâte de rentrer que le pèlerinage à Panormitis, qui était devenu une tradition au fil des années, s'en trouva abrégé. Il était à peine quatre heures, peut-être, à l'extrême rigueur, quatre heures et quart ou quatre heures et demie, que, descendus du bateau qui nous avait ramenés du monastère beaucoup plus tôt que prévu, nous nous retrouvions rassemblés une nouvelle fois autour d'André dans la cour peinte en bleu.

Edgar lui tendit le cahier et André commença sa lecture.

***

— Simon, tu es un homme parmi les hommes. Et, comme tu le sais, n'importe lequel.

— Je le sais, Seigneur.

— J'ai parlé à Abraham, j'ai parlé à Moïse, j'ai parlé à Mahomet. Et je te parle à toi qui n'es pas digne de délacer leurs sandales.

— Seigneur, je le sais.

— Te souviens-tu de tes origines que tu n'as pas connues et dont je t'ai entretenu ?

— Seigneur, lui répondis-je, je me souviens de chacun des mots que tu as prononcés. Il y a un premier début que nous appelons le big bang. Et il y a un deuxième début qui est la vie.

— Il y un troisième début : la pensée.

Le premier début est l'origine de votre tout que j'ai tiré du néant. Le deuxième début, qui découle du premier, est l'origine des vivants. Il n'est pas moins décisif – pour vous surtout –, mais il est plus limité. Le troisième début est plus restreint encore : il ne concerne que les hommes.

C'est peu de dire que le premier début est explosif,

brutal, inexplicable, entouré de mystère. Imprévisible, si j'ose dire, et proprement universel. Le deuxième début, la vie, se présente comme un hasard ponctuel et régional dont les chances d'apparition, tu t'en souviens, étaient égales à zéro – ce qui ne l'a pas empêché, comme c'est curieux, d'apparaître.

Le troisième début, la pensée, est franchement local et, cahin-caha, pour le meilleur et pour le pire, il va mener jusqu'à toi. Puisque le dernier mot ne sera pas aux hommes, ce début-là, tu le sais déjà, n'est pas la fin de tout. Il boucle pourtant une boucle : d'une certaine façon, il te ramène jusqu'à moi. L'esprit, qui flottait sur le néant quand le néant était le tout, clignote dans l'ombre de ta pensée. Il y a moi : je suis celui qui est. Et puis, voilà, il y a toi : tu es celui qui passe.

À la différence de l'espace et du temps, des nombres, de la lumière, qui vous précèdent de très loin, la pensée est le propre des hommes. Il n'y a pas de pensée dans l'univers avant votre arrivée. Il y a la loi et les nombres. Vous naissez de la vie qui naît de la matière – et la pensée naît en vous pour se jeter sur le monde. Vos poètes, vos savants, vos philosophes ont distingué beaucoup de choses qui seraient le propre de l'homme : le rire, le chant, l'ironie, la station debout, le pouce opposable aux autres doigts, la capacité d'inventer des formes nouvelles de société ou d'imaginer des œuvres d'art capables de rivaliser avec ma création. La liste n'est pas limitative et elle ne tire pas à conséquence. Le propre de l'homme est d'abord de penser. Les hommes pensent. Et ils sont seuls à penser. Gloire à toi, Simon !

Je pris l'air modeste.

— Merci, bredouillai-je.

— Comme le temps ou la lumière, penser vous est familier et ne vous pose guère de problèmes dans la vie de chaque jour. C'est un sujet d'étude pour les physiologues, les neurologues, les psychologues, les médecins, les psychiatres. Avec l'enchevêtrement de vos milliards de neurones et la multiplication presque infinie du nombre de leurs contacts, la pensée est liée à une foule de phénomènes physiques, chimiques, électriques et nerveux qu'il est possible d'analyser, de décrire, de transformer, de soigner, et même d'imiter. Pour faciliter les choses, le siège de cette pensée qui est capable de s'étendre à tout et à n'importe quoi est circonscrit avec rigueur : la pensée est située exclusivement dans un point dérisoire de l'immense univers. Elle repose dans ton cerveau. Je veux dire, bien entendu, dans le cerveau des hommes. Et, par une grâce ineffable, qui ne vous fait ni chaud ni froid parce que les plus doués d'entre vous sont encore des aveugles, chaque cerveau, chaque homme est, à lui tout seul, le centre de ma création.

J'étais au centre de tout. Dieu était dans un coin, et il se rétrécissait. Une lumière m'entourait. Je grandissais à vue d'œil. Des cieux s'entrouvraient. Quelque chose de nouveau s'emparait soudain de moi : c'était la toute-puissance.

— Les hommes sont un cœur, un foie, une rate, des poumons, des reins, des yeux, des oreilles, des jambes, des bras et des mains qui leur rendent beaucoup de services. Ils sont aussi et surtout un cerveau. Où est le cerveau ? Dans la tête. Un homme sans tête n'existe plus. Et le cerveau et la tête sont des mécanismes comme les autres. Pour faire surgir la vie, j'ai laissé jouer les lois que j'avais établies. Ces mêmes lois valent pour la pensée qui est logée dans ton cerveau. Simon, comme la vie, la pensée est au bout de votre scalpel. Et, comme le temps ou la lumière et comme tant d'autres miracles en vous et autour de vous, penser vous semble, sinon tout simple...

— Ah ! bien sûr que non, murmurai-je.

— ... du moins tout naturel dans sa complication et d'une radieuse évidence. Avec plus ou moins de clarté, avec plus ou moins de force, souvent dans la brume, parfois avec souffrance, vous pensez tous.

Comme le temps ou la lumière et comme tant d'autres miracles, en vous et autour de vous, la pensée est pourtant invraisemblable. Un être venu d'ailleurs, de l'infini, de l'éternité, et qui ne saurait rien de votre univers serait éberlué par le temps. Et il serait éberlué par votre pensée, figure fragmentée de l'esprit universel. Il te serait très difficile, sans doute impossible, et d'ailleurs tout à fait absurde, de tenter de la lui expliquer. C'est toujours la même histoire : penser relève d'une machine qui obéit aux lois dominées par les nombres, mais l'idée même de pensée, accueillie par chacun d'entre vous avec tant d'ingratitude et de légère insouciance, devrait bien plutôt vous jeter dans la stupeur. Et, en vérité, dans une espèce de terreur que je me risquerai, sauf objection de ta part, à qualifier de sacrée. S'il y a jamais eu de miracles, la pensée en est un.

Il t'est malaisé de parler du temps, parce que tu es plongé en lui. Il t'est plus malaisé encore de parler de la pensée parce que tu ne peux en parler qu'en te servant de la pensée, ou de ce qui t'en tient lieu. Te voilà au rouet, dans un cercle vicieux, emporté par un tourbillon de miroirs en cascades et guetté par le vertige. Au-delà de la physiologie et de la psychologie, le nez sur leur routine et sur leurs mécanismes, qu'est-ce que la pensée ? Et ne me réponds pas, je te prie, selon ton habitude, par un perpétuel : « Euh... »

— Seigneur, lui répondis-je égaré, je ne sais pas. Je n'en ai aucune idée.

— Souviens-toi, invente, imagine, suppose. Que fais-tu quand tu réfléchis ? Que fais-tu quand tu penses ?

— Euh... répondis-je. Eh bien, justement, je me souviens, j'imagine, je calcule, j'invente...

— Pas si mal. La mémoire, l'imagination, le spectre formidable des nombres, bien entendu, sont au cœur de la pensée. Mais ne crois-tu pas que les fourmis, les abeilles, les chiens, les chats, les dauphins, les éléphants ont, eux aussi, une forme de mémoire et de calcul ?

— Ah ! m'écriai-je, un archiviste-paléographe de mes collègues m'a raconté l'histoire de son chat qui prend le tramway pour aller se promener et qui le reprend dans l'autre sens pour rentrer chez lui.

— Voilà. Et chacun sait que les dauphins jouent

volontiers au ballon chasseur avec vos enfants et parviennent, d'une façon ou d'une autre, à communiquer avec vous. Peut-être pourriez-vous leur apprendre à jouer, sinon au bridge ou au mah-jong, du moins aux barres ou au water-polo ? Et pourtant la pensée n'appartient qu'à toi seul. Entre le chat le plus déluré et toi, entre le plus brillant des dauphins et le plus démuni des hommes, un mongolien, un fou, un fanatique religieux...

— Un fanatique religieux ?..., lui dis-je. Tu as quelque chose contre les religieux fanatiques ?

— Je ne les porte pas dans mon cœur... un crétin professionnel, un mondain dans son cercle en train de s'assoupir sur son journal, la moindre confusion est tout à fait impossible. N'importe qui, et même toi, reconnaîtrait sans trop de peine le pire des imbéciles, et plusieurs noms me viennent aussitôt à l'esprit...

— Ne les cite pas ! lui dis-je très vite.

— ... de la plus douée des fourmis, du plus subtil des rats. Un singe savant n'est pas un savant : c'est un singe. Un enfant-loup n'est pas un loup : c'est un enfant. Un homme peut être plus bête qu'un dauphin de bonne maison ou qu'un chien très éveillé. Il est tout de même un homme parce qu'il pense.

Je me vis tout à coup en train de jouer aux cartes avec un singe et un dauphin vêtus de brocarts et de velours. Ils me ratissaient jusqu'à l'os.

— La naissance de la pensée constitue un événement tout aussi prodigieux que la naissance de la vie. Presque aussi prodigieux que cette explosion primitive que vous traitez de big bang. Presque aussi prodigieux que le début du début. Tout au long d'une douzaine ou d'une quinzaine de milliards de vos années, l'univers fonctionne tout seul. Selon les lois que j'ai établies et avec l'aide des nombres qui sont inscrits dans mon ciel. Personne pour les comprendre, personne pour les étudier, personne pour me contester. Quel calme ! Quelle harmonie ! Et quelle stérilité. Portée par quelques éléments de ce phénomène obscur que vous appelez la vie, la pensée apparaît dans un coin reculé de mon grand théâtre d'ombres. C'est une machine, naturellement. Et c'est bien autre chose. Le tout en est ébranlé. Et moi aussi.

La pensée n'est pas un savoir, ni une technique, ni un acquis, ni une routine à la façon de l'instinct. Ce n'est pas non plus une prière ni une effusion.

Il me sembla percevoir comme un soupir dans la voix.

— Ce n'est pas seulement une mémoire, ni un calcul, ni une imagination. C'est un élan et une ouverture. C'est une ironie et un doute. Bien plutôt qu'une réponse, c'est une question sans fin. Une attente. Une surprise. Une destruction chargée de construire. À vrai dire, c'est n'importe quoi. L'indéfinissable par définition. La pensée est toujours un peu au-delà d'elle-même.

Comment ne pas voir que la pensée marque une rupture décisive ? Limitée à une fraction infinitésimale de l'univers, cette inexistence conquérante qui échappe à toute description – l'eau, l'air, peut-être le temps lui-même apparaissent, en regard, comme des lourdauds assez grossiers – constitue un tournant dans la carrière si romanesque du tout. Voilà que l'espace et le temps, qui se développaient pour rien et sous mon seul regard, se lient à la pensée, que la mathématique et les nombres, qui ne relevaient que de moi, se soumettent à la pensée, que la morale et la faute, qui n'avaient jusqu'alors pas l'amorce du moindre sens, surgissent de la pensée. Et le tout lui-même – sans parler de l'homme, bien entendu – se révèle à la pensée. Et l'être, c'est-à-dire moi, se construit dans la pensée.

Quand même, tu m'avoueras, il y a quelque chose d'inouï dans l'histoire que je te raconte. C'est que la pensée n'est pas seulement un mécanisme – oui, elle en est un, et avec évidence –, un outil ou un jeu. Elle est beaucoup plus et beaucoup mieux. Elle est le tout lui-même.

Comment savez-vous qu'il y a un tout ? Parce que vous le pensez. Les chats, les chiens, les araignées qui tissent leur toile, les rats, les dauphins, pour doués qu'ils puissent être, ne se doutent pas qu'il y a un tout. La pensée, tu ne l'ignores plus, surgit lentement du tout. Et le tout, à son tour, surgit de votre pensée. J'ai pensé l'univers. Et vous le pensez aussi. Entre vous et moi, personne ne pense le tout. La pensée ne se borne pas, comme l'instinct chez les fourmis ou chez les abeilles si laborieuses, à telle ou telle situation. Elle ne se limite pas à tel ou tel objet. Ironique et changeante, paradoxale, toujours rebelle, elle est une ouverture insatisfaite au tout. Tu es un animal – et tu n'es plus un animal. Tu es autre chose. Presque rien. Oui, bien sûr, presque rien. Et presque tout.

D'une certaine façon, tu es le tout. Parce que tu le penses.

Je montais, je montais. Je trônais au-dessus des montagnes et des villes, au-dessus des fleuves et des océans, au-dessus des nuages qui s'étendaient à mes pieds. Des flots ininterrompus de créatures et d'événements se déroulaient sous mes yeux. Des messagers s'affairaient dans les deux sens entre leurs foules et moi. Un bonheur m'emportait. Il était mêlé d'angoisse. Des acclamations éclataient. Des trompettes d'argent et d'or se mettaient à sonner. Les peuples s'inclinaient devant moi. Je régnais sur le monde.

André s'interrompit.

— Holà ! dit-il en souriant.

— Pour moi, dit Edgar, la clé de l'affaire est là. Toute cette histoire de rêves et de conversation avec Dieu n'est que l'habillage mystique ou peut-être hystérique du plus ordinaire des délires paranoïaques : la folie des grandeurs. Simon Laquedem est un garçon probablement doué qui souffre d'une vie sans éclat. Consciemment ou inconsciemment, il construit cette fable des relations avec Dieu pour se donner enfin le beau rôle et pour assouvir ses passions si longtemps réfrénées. Il s'évade vers le haut de ses platitudes de chaque jour et il m'envoie ce cahier où, soit réels et retouchés, soit franchement imaginaires, il consigne ses rêves de grandeur.

— Ah ! ah ! murmurai-je.

— En tout cas, dit François, il nous file au passage un lot peu banal d'insanités de bonne taille.

— Penser le tout, reprit André, ne t'empêche pas

de penser aussi les détails. Tu ne passes pas ton temps à t'occuper du tout ni de tes rapports avec lui. Tu penses surtout les détails. Et, depuis ta naissance il y a quelques centaines de milliers d'années à peine, ces détails sont innombrables. Ils se multiplient avec le temps et ta pensée s'en empare. La chasse, le feu, la cueillette, la mort, bientôt l'agriculture et la roue te sollicitent et t'envahissent – et ta pensée les envahit à son tour. L'histoire s'accélère. Vous en avez plein la bouche, de l'accélération de l'histoire. Croyez-vous qu'elle va plus vite ? Bien sûr que non. Elle va toujours son train, imposé par les saisons, c'est-à-dire par les astres. Mais, immobile si longtemps, elle change soudain de visage, elle devient plus complexe et de plus en plus d'événements et d'idées s'offrent en avalanche et en chaîne à une pensée de plus en plus conquérante. Des liens de plus en plus nombreux se tissent entre ta pensée et le monde autour de toi. Ta pensée agit sur le monde et le monde s'imprègne de ta pensée. Une sorte de bulle se constitue. Elle est faite de... De quoi donc est-elle faite ? Elle est faite de réflexion. De réflexions, de résonances, d'échos, de commentaires. De commentaires de commentaires, de commentaires sur les commentaires. Depuis que les hommes se sont mis à penser, le monde est devenu une sorte d'énorme commentaire. Il est devenu ce qu'il était avant même d'exister. Il est redevenu une pensée.

Réservé, lui aussi, avec une partialité révoltante, à la seule caste des hommes, si hautement privilégiée au sein de ma création, un sous-produit de la pensée contribue, avec violence, à la conquête de l'univers : la parole. L'homme parle parce qu'il pense. Et il pense parce qu'il parle. Entre la parole et la pensée, bien malin qui décidera de l'ordre de préséance.

La parole, à son tour, comme tout le reste, est d'abord un mécanisme. Elle apparaît assez tard parce qu'elle exige pour se développer un certain nombre de conditions. Il lui faut une gorge, un larynx, un palais, une mâchoire, une denture, une langue dans un état très précis. Et, comme tu le devines déjà, elle dépasse de très loin cet échafaudage nécessaire.

La parole est de la pensée changée en son. À peine est-elle émise qu'elle explose et se détruit. Rien de plus fragile qu'une parole : une chaise, un verre d'eau, un pommier dans le pré, un tableau que tu contemples subsistent quand tu ne les regardes plus, la parole que tu entends disparaît dès qu'elle a été prononcée. Le progrès technique te permet de la fixer, de l'enregistrer, de la reproduire à ta guise. Mais il s'agit d'un expédient extérieur à la nature de la parole qui est passagère et instable. Au point que le statut de la parole est presque aussi étrange que celui de la pensée : si formidablement puissante, la pensée, avant d'être appliquée, d'une façon ou d'une autre, à la réalité du monde, n'a pas d'existence propre ; la parole, elle, prend une forme, elle est soumise à des règles – la phonologie, la linguistique, la grammaire, la syntaxe... –, elle existe pour des oreilles qui la changent aussitôt à nouveau en pensée, elle laisse des traces manifestes dans l'esprit des autres et dans leur mémoire – et, dès qu'elle a été émise, elle s'évanouit dans les airs à la façon de la pensée.

Où va ta pensée ? Où vont tes paroles ? Où vont les paroles de prière ou de commandement, les mots de menace ou d'amour, les paroles inutiles et les mots historiques ? Nulle part. Ils sont un pur souvenir, ils sont une pure idée. L'homme, tu ne l'as pas oublié, ne cesse jamais de vivre dans l'agonie d'un présent qui relève à peine de l'existence. Et ce qui lui est le plus propre, à l'homme, et qui fait sa puissance – la pensée et la parole – est, lui aussi, au bord de l'inexistence. Un cosmonaute soviétique de ton temps a déclaré que Dieu n'existait pas puisqu'il n'en avait trouvé aucune trace dans l'espace qu'il avait parcouru. On pourrait dire exactement la même chose de la pensée et des paroles prononcées et parties dans le vent. Elles sont une transparence, un reflet passager, un frémissement de l'être. Elles sont l'ombre d'un rêve.

La pensée aux mille ressources a pourtant inventé un instrument formidable de récupération et de conservation des paroles : l'écriture. Pensée au second degré, parole figée sur place, l'écriture est du langage conservé dans l'espace sous forme de signes au lieu de rester dispersé dans le temps sous forme de sons.

L'univers a quelque chose, nous n'allons pas chipoter, comme douze ou quinze milliards d'années. Le Soleil et votre Terre en ont cinq ; la vie un peu plus de quatre. Toi, selon tes références et tes modes de calcul, un million ou peut-être deux, un peu plus, un peu moins. L'écriture a cinq mille ans. Presque rien. Moins que rien.

— Ah ! comme moi ! suggérai-je.

— Elle a beaucoup plus d'importance que ta modeste personne. Et elle date de bien moins longtemps que tes lointains ancêtres.

Le livre lui-même, sous la forme que tu lui connais, est encore plus récent : il n'a pas cinq cents ans. Tu pourrais imaginer que l'arrière-grand-père de ton arrière-grand-père ou de ton arrière-grand-mère en a vu les débuts. Et il a transformé votre monde, et l'univers tout entier, et jusqu'à l'idée que vous vous faites de moi. Ignorant à peu près tout de ce qui s'est passé auparavant, vous vivez sur l'acquis des trois mille dernières années, et plus particulièrement sur l'héritage de ce qu'il est permis d'appeler le temps du livre.

Si décisive et si brève, cette période, tu le devines sans peine à mille signes avant-coureurs, est en train de s'achever. Elle a fait de grandes choses, elle laissera des traces derrière elle. Quelles traces ? Très vite, dans trois ou quatre mille ans, huit ou dix mille à la rigueur, tout ce qui est si présent à votre mémoire, les guerres, les traités, les révolutions, les découvertes, les inventions, les tragédies, les opéras, la peinture, l'architecture, sera tombé dans l'oubli, dans l'indifférence, dans la banalité. Tout deviendra un peu flou, les détails s'effaceront, les attitudes, les manières d'être, les façons de se vêtir et de s'exprimer, les préjugés, les jeux, les habitudes de table, les devoirs et les droits qui te semblent le moins contestables deviendront obscurs et incompréhensibles. Inversement, ce qui est aujourd'hui impossible sera demain évident. Si divers, si opposés, si contradictoires, les événements et les êtres se confondront entre eux. Au travers de la brume de l'oubli, ceux qui viendront après toi ne se souviendront que du cadre où se seront affrontées tant d'idées et tant d'ambitions. Avec un sourire, avec un peu de mélancolie, ils diront de ton époque et des quelques siècles qui l'entourent : c'était l'âge des livres.

Au temps de leur splendeur, déjà en train de décliner, les livres ont changé le monde. Chacun le sait, toi aussi, c'est un pont aux ânes. N'attends pas de moi que je le franchisse ni que je te raconte, une fois de plus, les aventures de votre pensée reflétée dans les livres. De la Bible, d'Homère, du Coran à Dante et à Cervantès, de Platon ou d'Aristote à Marx, à Darwin, à Freud, à Einstein, en passant par Copernic, par Galilée, par Descartes, par Spinoza, par Newton, par Kant ou par Hegel, c'est une drôle d'histoire, et qui a quelque chose d'enivrant. Même pour moi. Il vous arrive, à vous, les hommes, d'être un mystère pour Dieu presque autant que Dieu est un mystère pour vous. Ne le répète pas : vous m'épatez.

Dans cette marche de votre pensée qui ne s'arrête jamais, il y a comme un trou béant. Une question décisive n'est pas souvent posée. Peut-être es-tu capable d'imaginer cette question ?

— Sûrement pas, Seigneur. Tout ce que tu dis me surprend et je me sens incapable de rien en deviner.

— Alors, voici la question.

Comment se fait-il qu'il y ait adéquation entre le tout et votre pensée, qu'une espèce d'harmonie règne entre les lois de l'univers et les lois de l'esprit, que vous soyez capables de parler avec pertinence de ce qui se passe au-dessus et au-dessous de vous et que tu puisses comprendre quoi que ce soit à la marche des astres, à la composition de la matière ou au mystère des nombres ? Un des tiens, celui qui s'est peut-être servi avec le plus de pénétration d'un des plus puissants de vos instruments, la physique mathématique, a soulevé un coin du grand voile : « Ce qu'il y a de plus incompréhensible, c'est que le monde soit compréhensible. »

Hein ! Est-ce assez bien ! Nous voilà au cœur du mystère du tout. Je crois que je vais te laisser réfléchir un peu là-dessus. La nuit s'achève. Le jour va se lever. La stupeur se poursuit. Tu vas te réveiller, c'est-à-dire te rendormir dans l'illusion de votre réalité. J'aurai encore une foule de choses à te raconter et des secrets à te révéler. Le monde est un songe, le plus cohérent et le plus inépuisable des songes. Très sombre, naturellement. Et d'une gaieté déchirante.

Plus souvent que de raison, la vie et le monde t'accableront de chagrins. Le mal, qui est avec moi à l'origine de l'univers, trouve dans votre vie son terrain d'élection. Ton corps est une machine : elle se détraquera. Dans les délices ou les tourments, l'existence fera ce qu'elle pourra pour t'attacher à elle : tu seras contraint de la quitter. Les hommes vivent en société : la société parfaite est un leurre et il y en a de détestables. La pensée est un privilège exclusif et inouï : il lui arrive aussi de rendre le monde atroce. N'importe. La vie est sinistre. Et elle est belle.

Deux nuits de suite, je t'ai abandonné dans les larmes. Sèche-les. Tu ris parce que tu penses et rire aussi est le propre de l'homme. Vos matins sont glorieux. Vos journées sont radieuses. Exister est une chance. Vivre est le plus beau des cadeaux. La pensée t'est donnée pour comprendre le tout – ou pour essayer de le comprendre. Pour me chercher et ne pas me trouver. Et aussi pour jouir de ce monde qui n'est qu'une illusion et pour être heureux, au moins le temps d'un soupir.

— Seigneur, suppliai-je, ne m'abandonne pas tout de suite. Prononce encore quelques paroles. Et je les garderai dans mon cœur pour lutter, à mon réveil, contre les trompeuses séductions de notre réalité.

— Demain, je te parlerai de cette chose immense qui nous menace, toi et moi : votre histoire. Écoute encore un instant, si tu veux, les mots de ta grandeur.

Tu penses l'espace et le temps, tu penses les nombres, tu penses la beauté du monde. Tu penses le tout. Et tu te penses toi-même.

Ta pensée ne te crée pas. Elle ne crée ni le temps ni l'espace. Elle ne crée pas un monde qui te dépasse de très loin. Elle ne cesse pourtant jamais de te ressaisir toi-même et de ressaisir le tout. Et elle les fait entrer dans le songe lumineux et obscur de votre réalité. Si tu ne pensais pas, il y aurait encore quelque chose. Mais ce quelque chose serait peu de chose et n'aurait aucun sens. Et le tout ne serait rien.

Septième Jour

L'histoire

Le cahier rouge – Il y a une histoire parce qu'il y a une pensée – Les deux histoires – Apparition de la liberté – Ses illusions – Dieu seul est libre – Puissance irrésistible de l'esprit du temps – L'infiniment grand et l'infiniment petit – Incertitude des particules – Le sens de l'histoire – Son caractère secret – Bonheurs et catastrophes – Le travail des hommes – Tout est bien – Au cœur de l'histoire : le désir – La jeunesse est une chose charmante – Que se passa-t-il après ? – Les pontifes privés de leur gloire et les princes méprisés – Histoire de Job et de ses filles – Que de larmes seront versées sur des prières exaucées ! – Le printemps de l'histoire – Les hommes prennent le relais de Dieu et le mettent à l'écart – Leur orgueil – Leur fin – Simon Laquedem est chargé de mission – Il n'y a plus de pomerol.

— Dites donc, lança André, il y a un truc que je ne comprends pas. Le premier jour, François nous a indiqué, et il avait raison, je crois, que le cahier de Simon Laquedem comptait une centaine de feuillets de cette petite écriture régulière que nous commençons tous à connaître. Hier soir, je suis parvenu à la dernière page de ses élucubrations. Mais j'ai le sentiment qu'elles ne sont pas terminées.

— Ah ! murmura Edgar d'un air faussement contrit et en se grattant le nez, c'est qu'il y a une annexe.

Et, d'un geste théâtral, il jeta sur la table de pierre un second cahier, de couleur rouge, moins épais que le premier.

— J'avais peur de vous effrayer en vous proposant deux tomes. Vous avez déjà renâclé à regarder le premier. J'ai pensé qu'il était sage de laisser pour plus tard la surprise du deuxième.

— Tu es sûr qu'il n'y en a pas un troisième ? demanda François d'une voix trop douce.

— Non ! non ! dit Edgar. Promis, juré, c'est le dernier.

Il prit la bouteille de pomerol sur la table, vida ce qu'il en restait dans le verre devant lui et l'avala d'un seul coup.

— Ça aussi, dit-il, c'est le dernier.

Nous nous mîmes à rire tous les quatre.

— Eh bien, dis-je à Edgar, vas-y.

Et je lui tendis le cahier rouge.

***

Le jour s'était levé : le Seigneur avait regagné son absence. La nuit était de retour. La voix me parlait à nouveau.

— Il y a une histoire parce qu'il y a une pensée. Avant ton entrée en scène, il y a matière à histoire – qu'est-ce qui n'est pas matière à histoire dans votre monde tel qu'il est ? –, mais il n'y a pas d'historien : le tout ne fonctionne que par moi et pour moi qui ne connais ni passé, ni présent, ni avenir. Toujours la même chose avant ton irruption : soumission à ma loi, tourbillons créateurs, mécanismes rigoureux, stérilité et ennui.

Tu arrives en fanfare, avec tes rêves sans fin et tes désastres de chaque jour, et le désir te prend de te souvenir des chagrins, des bonheurs évanouis, des morts qui ne sont plus. Alors, tu entreprends de raconter, de chanter, de fixer pour toujours dans des livres ce qui s'est passé avant toi. Tu t'occupes naturellement de ce qui t'intéresse davantage et tu te sers des informations – tu parleras, plus tard, des sources – dont tu peux disposer. Du coup, se distinguent et peut-être s'opposent deux déroulements différents et qui ne coïncident pas : d'un côté, la suite des événements qui se succèdent et se bousculent sans fin et dont je suis seul à connaître la multiplicité et la complication infinies ; de l'autre, le choix plus ou moins arbitraire que tu opères parmi eux, leur classement par tes soins et le récit que tu en fais et que vous osez appeler l'histoire.

Il y a deux histoires. D'un côté, la mienne, qui est la seule vraie et qui vous est interdite ; et de l'autre, la vôtre, qui, à la mesure de vos moyens, est partielle et trompeuse. Tu peux, si tu y tiens, les réunir l'une et l'autre sous une même rubrique : l'histoire, c'est le tout évanoui, à jamais inaccessible, rattrapé vaille que vaille et exploré à tâtons par votre pensée toute-puissante et pourtant misérable.

L'histoire de la matière, des astres, de l'eau, des dinosaures, des méduses est pleine d'enseignements et ne manque pas d'intérêt. Pour vous au moins, l'histoire de la Chine, de Rome, de l'islam, des cathédrales, des marchés financiers, de la révolution d'Octobre est autrement fascinante : ce que vous aimez à la folie, vous, les hommes – et les femmes –, c'est de vous occuper de vous-mêmes. Il y a encore autre chose. À la différence des planètes, des fleuves, des palmiers, des gazelles ou des tigres, vous inventez votre avenir au lieu de le subir. Vous ne vous contentez pas, comme eux, d'un rôle de spectateurs : vous êtes les acteurs des aventures que vous rapportez dans vos livres. Au cœur de votre histoire racontée ou vécue se cache un fantôme séduisant et mystérieux qui agite ses grands bras en forme d'ailes de moulin, vous promet monts et merveilles, colore vos existences avec exaltation et déploie devant vous la panoplie entière de vos rêves impossibles, avortés ou futurs : la liberté.

Je m'échappais. Le délire. Les limites s'effondraient. Je volais dans les airs. Oiseau, esprit, fantoche. Un grand vent m'emportait. J'étais partout en même temps. Des chemins innombrables se présentaient devant moi : je les prenais tous à la fois. Je n'étais plus moi-même. J'étais les autres autant que moi. J'étais n'importe quoi.

— Votre liberté ! Parlons-en. Elle vous flatte, elle vous grise, elle vous fait tourner la tête. Vous vous répétez avec ivresse : « L'homme est d'abord liberté. L'homme est libre de part en part. » Es-tu libre ? Si la liberté consiste à faire n'importe quoi et d'abord ce que tu veux, la réponse est catégorique : non. Non, vous n'êtes pas libres.

Ah ! bien sûr, tu es plus libre que la pierre, que l'eau, que l'arbre, que le corail ou l'éponge. Plus libre que la panthère, le dauphin, le singe. Mais à peine. Comme une foule de créatures, tu peux te déplacer dans l'espace – à une échelle dérisoire. Tu essaies de ne pas dépendre ou de dépendre le moins possible d'un autre que de toi-même. Et puis, surtout, tu penses. Tu penses, c'est une affaire entendue. Et une chance sans pareille. Tu inventes ton avenir et, dans une certaine mesure, à l'intérieur de limites très étroites, tu te donnes les moyens de le réaliser. Voilà. C'est tout. C'est énorme – et guère plus qu'un friselis sur l'océan d'une histoire dont tu es prisonnier et que tu n'es capable que d'infléchir.

La liste des obstacles qui bornent ta liberté et qu'il ne t'est pas permis de franchir est impressionnante. Tu ne peux pas t'empêcher d'être né dans le passé et de mourir dans l'avenir. Tu ne peux pas changer d'époque. Tu ne peux pas être un autre. Tu ne peux pas te dépouiller de ta condition de créature illimitée par ta pensée mais limitée par ton corps. Tu ne peux pas voler dans les airs par toi-même à la façon d'un aigle ou d'un papillon. Tu ne peux pas courir aussi vite qu'une autruche. Tu ne peux pas prédire l'avenir ni effacer le passé.

Pour la première fois depuis que la voix me parlait, j'éprouvai quelque chose comme un vague agacement.

— Et toi, Seigneur, me risquai-je, peux-tu te soustraire à ton éternité et à ta toute-puissance ? Peux-tu renoncer à ton infinité ? Peux-tu changer l'histoire et le passé des hommes ? À ta façon, tu es enfermé dans ton éternité, tu es limité par ton absence de limites et tu ne peux pas empêcher notre passé d'avoir été ni notre histoire de s'être déroulée.

J'entendis le rire divin qui, dans mon expérience au moins, était plutôt une rareté.

— Tu as le droit, c'est ton rôle, d'essayer de me penser. Mais n'espère pas me comprendre. Tu as déjà beaucoup de mal à te comprendre toi-même. Monter jusqu'à moi, Simon, franchement, c'est peine perdue d'avance. Je vais pourtant, parce que c'est toi, répondre d'un mot à tes questions. Oui, une fois au moins, il m'est arrivé de renoncer à mon éternité et à ma toute-puissance et de m'abaisser jusqu'à vous. Et, oui, à chaque instant, je modifie votre histoire et j'efface votre passé. Mais ce sont des mystères dont je n'ai pas l'intention de débattre avec toi.

Tu es une créature magnifique, une réussite absolue. Emporté par l'orgueil, un des tiens a été jusqu'à écrire : « Quelle que soit la question, la réponse est toujours l'homme. » Il ne manquait pas d'audace. N'oublie jamais, toi qui n'es rien, que tu n'es qu'une question parmi d'autres et que je suis toutes les réponses.

Je me jetai à terre.

— Pardonne-moi, Seigneur. Je ne suis rien. Tu es tout.

— Je suis seul à être libre. Et toi, tu l'es à peine. Parce que tu es un homme, attaché à un corps, emporté dans le temps, tu es une créature dépendante. Mais tu penses. Tu penses que tu es le centre du monde, ce qui est vrai, que tu es seul à régner, ce qui est faux, et que tu es libre, ce qui est à moitié vrai et à moitié faux. Et tu ne peux pas t'empêcher de penser que tu aurais pu faire, dans le passé, autre chose que ce que tu as fait et que tu auras le choix, dans l'avenir, entre une infinité de possibles. Un vertige te prend. Tout t'est donné, tout t'est ouvert. Tu es maître de toi et de l'univers. Illusion, naturellement. Tu fais l'histoire. D'accord. Mais l'histoire te fait. C'est un jeu d'enfer.

Il n'est pas exclu que tu deviennes riche et puissant, que tu conquières des royaumes, que les peuples t'acclament, que tu écrives ou que tu peignes un chef-d'œuvre qui traversera les siècles ou que tu découvres des cieux. Il n'est pas exclu non plus que tu sois pauvre comme Job, accablé de tous les maux et abandonné de tous. Il n'est pas exclu, mais il est très improbable, que tu gagnes le premier prix à la loterie de Babylone ou qu'un aigle dans le ciel, emportant dans ses serres une tortue à la lourde carapace, la laisse tomber sur ta tête et te fracasse le crâne. Ce qui va t'arriver, tu l'ignores. Tu fais ce que tu peux. Et tu imagines que tu es libre.

Un soir de printemps ou d'automne, tu te promènes dans la campagne ou dans les rues de ta ville. Tu passes au pied d'une falaise ou aux abords du pont qui enjambe la rivière. Tu ne sais pas encore que, dans l'instant qui vient, un rocher va se détacher de la montagne pour s'écraser sur la route, que le pont va s'écrouler ou qu'une bombe va le détruire. Si tu t'engages sur la route ou sur le pont, tu es mort. Si tu ne t'y engages pas, tu entendras derrière toi le fracas de la catastrophe, les sirènes des ambulances, la rumeur de la foule aussitôt accourue, les cris des blessés et les râles des mourants parmi lesquels, toi aussi, tu aurais pu figurer. T'engageras-tu ? Tu es libre.

Oui, oui, tu es libre. Tu es libre d'avancer, de reculer, d'aller à droite ou à gauche. Tu es libre de faire ou de ne pas faire. Et personne – ni toi-même – ne peut connaître d'avance ta décision. Mais tu n'es pas seul à penser et à croire à ta liberté. D'autres sont comme toi au centre même du monde et partagent avec toi le privilège ou l'illusion de cette fameuse liberté. Personne, sauf moi seul, ne sait si Paul ou Marie vont emprunter le chemin qui mène au désastre – mais ce que vous savez avec certitude, c'est que le nombre des passants sur le pont ou sur la route entre sept heures et minuit peut être prévu et calculé, sinon à quelques dizaines près, du moins dans des limites relativement étroites. Un semblant de liberté flotte autour de vous autres, individus minuscules. Dès qu'il s'agit de grandes masses, de long terme, des lents glissements de l'histoire, il n'est plus question de liberté. La liberté est un parfum lié à ta personne et à l'image que tu t'en fais dans le présent et dans le futur. Seul, tu te sens libre. Dans l'histoire, tu es emporté. Quand tu regardes vers l'avenir, tu te dis que tu pourras le changer. Quand tu regardes vers le passé, sa nécessité te saute à la figure. Tu es peut-être libre, oui, sûrement, tu es libre. Mais l'histoire ne l'est pas.

— Seigneur, murmurai-je, je m'étonne beaucoup de ce que tu m'apprends.

— Ton étonnement me surprend. Tu sais depuis toujours que l'histoire est plus forte que toi. Vous avez beau vous débattre, chacun de vous est prisonnier de son temps. Il y a un air du temps, il y a un esprit du temps qui est plus fort que tout et dont vous êtes prisonniers. Il commande votre action, il commande votre pensée. Il est aussi inimaginable d'accepter aujourd'hui la monarchie absolue, l'esclavage, la tragédie classique, la toge ou les hauts-de-chausse que de les contester hier. Il n'y a pas de domaine où ne règne l'esprit du temps. Tu ne peux pas écrire, peindre, sculpter, composer de la musique ou aimer à la façon des siècles précédents. Les styles, les genres, les façons de penser, de parler, de se tenir, de se vêtir, de se nourrir, de gouverner sont des tyrans inflexibles. Tu n'es libre que dans ces carcans. Tu peux faire ce que tu veux au titre d'individu : tu es pris dans le réseau de ton temps et de ta société. Tu es pris dans l'histoire.

Comment t'en étonner ? C'est à ton époque qu'ont été découverts par des esprits d'exception dont je t'ai déjà parlé quelques-uns des secrets de cette matière dont tu es fait. Pour explorer le tout, vous vous êtes forgé deux séries d'instruments, d'ailleurs inconciliables, qui m'en ont bouché un coin : la relativité générale pour l'infiniment grand, la mécanique quantique pour l'infiniment petit. D'un côté, vous êtes remontés jusqu'à cette banlieue des origines que vous ne pourrez jamais dépasser ; de l'autre, vous êtes descendus jusqu'à de drôles de particules dont il vous est impossible de déterminer avec exactitude la vitesse et la position. Aberration et scandale dans un monde soumis à la loi : leur comportement n'est pas seulement modifié par l'intervention de l'observateur, il est imprévisible. À votre stupeur vaguement inquiète, un peu d'incertitude infiniment petite – une nano-incertitude, si tu veux – se glisse, sans jamais le menacer, sous le déterminisme global qui permet à votre science de régner sans partage. La causalité quantique continue d'exister pour la collectivité : elle n'a pas de sens pour l'individu. Le hasard est inhérent à la nature de la matière microscopique. Ce qui se passe pour les particules sous vos yeux écarquillés se passe aussi pour vous à mes yeux d'éternité.

Vous êtes libres, et votre liberté ne change rien à la marche nécessaire et inévitable de l'histoire. L'histoire avance avec vous et contre vous, elle avance à cause de vous et en dépit de vous. Et elle va où elle doit aller.

— Seigneur ! m'écriai-je. Dois-je comprendre que tu crois comme les marxistes à un sens de l'histoire ?

— Tu n'imagines pas que l'histoire vagabonde n'importe où, qu'elle se dérobe à la loi qui commande la ronde des astres et la marche du tout ? Il y a un sens de l'histoire. Et même, ne soyons pas mesquins, il y en a plutôt deux. Il n'est pas impossible que le temps soit réversible pour vos savants. Il ne l'est pas pour votre vie, il ne l'est pas pour l'histoire. L'histoire va du passé vers l'avenir, du début vers sa fin et, comme tu le sais déjà, elle ne cesse jamais de changer de l'avenir en passé. En ce sens, elle a un sens, à la façon d'une flèche en train de voler dans les airs. Et puis, au moins dans la langue dont tu te sers, elle a un sens dans l'autre sens du mot : comme votre vie elle-même, elle n'est pas absurde, elle a une signification.

La voix se tut un instant.

— Il y a tout de même une différence...

Il me sembla, à nouveau, derrière son silence et ses mots, entendre le rire de Dieu.

— ... entre tes marxistes et moi. À la façon de mes prophètes, à la façon de vos Églises, les marxistes croient à un sens de l'histoire, et ils sont persuadés de l'avoir découvert. Moi, je sais, pour l'avoir lancée et mise pour ainsi dire sur les rails, que l'histoire a un sens – et je sais aussi que les hommes ne le découvriront jamais. Comme mon propre statut qui vous aura tant agités, c'est un secret qui sera gardé jusqu'à la fin des temps.

Car la fin des temps, figure-toi, surviendra un beau jour. Ou un beau millénaire. Ou un vilain millénaire. Elle aussi, elle fait partie de votre histoire, et elle est inéluctable : votre existence a un début, elle aura une fin. D'ici là, l'histoire des hommes se poursuivra sans trêve, dans le bruit, dans la fureur, dans le sang...

— ... ne signifiant pas grand-chose, racontée par un idiot...

La voix s'interrompit brusquement. Et il y eut encore un silence avant son retour hésitant :

— Un idiot ?... Quel idiot ? De quel idiot s'agit-il ?

— Je ne sais pas, bredouillai-je. C'est une formule toute faite, une comptine, une citation peut-être, quelques mots que tout le monde connaît et ressasse...

— C'est l'auteur de la formule qui est idiot. Enfin... idiot... Il n'y croit pas lui-même. Ce sont de ces mots qu'on prononce dans le chagrin et dans l'égarement. Le désespoir des hommes, c'est encore moi en creux. L'histoire, comme votre vie, n'est sûrement pas racontée par un idiot. Ce n'est pas parce qu'elle est rude et cruelle qu'elle ne signifie rien. Elle signifie quelque chose, et vous ne savez pas quoi. Et c'est parce que vous ne le savez pas qu'elle est si grande et si belle avec sa touche de mystère, qu'elle vous fascine dans le passé, qu'elle vous inquiète dans l'avenir et que, ne cessant de se répéter, elle est toujours nouvelle et toujours surprenante.

Le temps a deux pouvoirs : d'une main il renverse, de l'autre il édifie. L'histoire aussi édifie et renverse. Elle est une suite de catastrophes entrecoupées de triomphes.

Je respirai un grand coup.

— Ou peut-être de triomphes entrecoupés de catastrophes ?

— Si tu veux. Plutôt une longue catastrophe avec de brefs triomphes parce que l'histoire, comme ta vie, est condamnée à finir et qu'elle court vers son terme en dépit de ses bonheurs et de son allégresse. Qu'elles soient l'une et l'autre un bonheur et une allégresse, je t'interdis d'en douter. Toute vie est une épreuve – et toute naissance est un bonheur. Et l'histoire, qui est une condamnation, est aussi un salut. Dans l'histoire, comme dans ta vie, j'ai mis assez d'espérance pour combattre tous vos chagrins. Les printemps reviennent, les enfants grandissent, l'amour vous tourne la tête, la curiosité vous tourmente et vous jette vers l'avenir, l'ambition et la gloire vous font accomplir des choses dérisoires et immenses. Le travail a une place modeste et éminente parmi ces grands sentiments. Ce qui fait une vie et ce qui fait l'histoire, tu sais bien ce que c'est : ce ne sont pas les puissants de ce monde, les conquêtes, les frontières repoussées, les royaumes périssables, c'est le travail des hommes. Je ne t'ai pas condamné en vain à manger ton pain à la sueur de ton front jusqu'à ce que tu retournes à cette terre d'où tu as été tiré. Le travail est une malédiction – et c'est une bénédiction. Bonheurs et malheurs mêlés, un cri s'élève à la fin de ton existence sur cette planète égarée où tu auras vécu comme il s'élèvera aussi à la fin de votre interminable histoire : Tout est bien.

— Je le crie d'avance, murmurai-je : Tout est bien.

— Tu entends, j'en suis sûr, ce qu'il y a dans ces trois mots à la fois de désespoir et de sérénité. C'est un bonheur fou d'être passé dans ce monde qui n'est à peu près rien. À peu près rien – mais tout. D'un bout à l'autre de votre vie, d'un bout à l'autre de l'histoire, malgré désastres et chagrins, un souffle irrépressible vous aura emportés et fait persévérer dans l'être. Ce souffle, c'est le désir.

Un désir éternel anime la nature entière. La sève est un désir. L'amour est un désir. Le savoir est un désir. La gloire est un désir. La vie entière est un désir. Et l'histoire est un long désir. Tu sais bien, en secret, au plus profond de toi-même, je n'ai même pas besoin de le répéter une fois de plus, que la mort vous guette tous, un peu plus tôt, un peu plus tard, à titre d'individus et qu'à plus ou moins long terme, peut-être à très long terme, elle vous guette aussi en tant qu'espèce. Qu'importe ! Par cette grâce divine dont vous avez tant d'exemples, vous vivez, vous aimez, vous construisez des empires qui ne manquent jamais de s'écrouler, vous grimpez jusqu'aux sommets, vous tombez dans les abîmes. Et vous recommencez. Vous n'en finissez pas de désirer autre chose.

De génération en génération, le même jeu se poursuit. Triomphes et désastres, misères et résurrection, ascension et déclin. Regarde le passé de l'histoire, regarde autour de toi. La règle de la jeunesse est de s'opposer à ses aînés et de vouloir faire mieux que ce qui a déjà été fait. La jeunesse est une chose charmante : elle part, au commencement de la vie, couronnée de fleurs comme la flotte athénienne pour aller conquérir la Sicile et les délicieuses campagnes d'Enna. Mais, bientôt, que se passe-t-il ? Le vent se lève. Les obstacles s'accumulent. Les espérances se dissipent. La jeunesse se fane et vieillit. Elle est faite pour vieillir comme le temps pour passer. La génération qui monte devient vite, à son tour, une génération qui décline. Toute vieillesse est un naufrage. L'illusion s'évanouit. Les rêves tournent au cauchemar. Déjà d'autres jeunes gens commencent à leur tour à s'agiter au loin.

Les hommes rêvent de grandes choses et, souvent, ils les font. Et les grandes choses s'effondrent. Leur histoire peut se résumer en une question assez brève : « Que se passa-t-il après ? » La réponse est toujours la même ; « L'affaire échoua. » Regarde ! Mais regarde donc ! Il n'y a rien, dans votre monde, qui ne soit fait pour tomber. Et quand l'affaire a échoué, quand tout est ruiné de ce que vous avez édifié, le désir vous reprend d'aller vers autre chose et de construire à nouveau. L'histoire est une espérance appelée à se changer en ruines pour repartir de plus belle.

— Seigneur ! lui dis-je, n'as-tu voulu me parler que pour me désespérer ?

— J'essaie de te rappeler ce que votre orgueil insensé s'obstine à camoufler : l'avenir n'est à personne, car l'avenir est à Dieu.

— Il recommence, dit François.

— À l'aide des mécanismes que j'ai montés moi-même, l'histoire avance et se fraye un passage à travers vos bonheurs et vos désillusions. Que fais-je depuis toujours, avec plus ou moins de détours, avec plus ou moins de retard ? Vous le savez bien. J'humilie les puissants et j'exalte les plus humbles. Je fais que les pontifes soient privés de leur gloire et que les princes tombent dans le mépris et dans la confusion. Et je relève les opprimés. Tout ce qui grandit, je le rabaisse. Et ceux qui se traînent dans les ténèbres, je les rétablis dans la lumière. On a pu dire de moi que j'étais toujours du côté des plus gros bataillons. Je n'y suis pas pour longtemps. Je laisse croître votre orgueil avant de le dissiper et de le frapper de ma foudre. Et Job sur son fumier n'est abandonné qu'en apparence. Il jouira plus que personne de mes faveurs retrouvées. Celui qui s'écriait : « Pourquoi ne suis-je pas mort dans le sein de ma mère ? », j'ai fini par l'accabler de mes bénédictions : en plus de quatorze mille brebis, de six mille chameaux, de mille paires de bœufs et de mille ânesses, je lui envoie sept fils et trois filles pour remplacer les enfants qu'il a perdus en même temps que sa santé, ses amis et ses biens. Et il ne s'est trouvé dans tout le reste du monde aucune femme aussi belle que ces trois filles de Job dont les noms, j'en suis sûr, te sont familiers depuis toujours.

— Hélas ! Seigneur. Tu sais bien que je ne sais rien...

— Alors, tu n'auras perdu tout à fait ni tes rêves ni ton temps : tu auras au moins appris les noms des filles de Job. L'aînée s'appelait Jemima ; la cadette s'appelait Ketsia ; la dernière, Kéren-Happuc, c'est-à-dire Vase de parfum.

Les hommes font l'histoire. Ou ils croient qu'ils la font. Et ils ne savent pas l'histoire qu'ils font. Il n'y a que moi pour connaître les conséquences lointaines, les effets imprévisibles, les tours et les détours de l'histoire qu'ils fabriquent. Que d'exemples de victoires qui se changent en défaites, de déroutes porteuses d'avenir, d'amis devenus des ennemis, de projets longuement mûris qui se retournent comme des gants et aboutissent à des fins opposées aux attentes des débuts ! Vous devriez commencer à vous demander si vos projets les mieux ourdis et vos espérances les plus fondées ne sont pas fumées et vaines songeries. Et si le seul recours ne consiste pas à vous abandonner, sans gémir et sans protester, à ma divine providence qui en sait plus que vous sur le monde et sur vous. « Que de larmes, s'écriera une grande sainte, bien des siècles après le livre de Job, que de larmes seront versées sur des prières exaucées ! »

Simon, depuis la première nuit où je suis entré dans ta vie, c'est de ton avenir que je veux te parler. Votre histoire a consisté à m'écarter du pouvoir et à régner à ma place. Vous roulez de plus en plus vite vers des abîmes que vous ne cessez de creuser vous-mêmes. Et vous ne le savez pas. Ou vous ne voulez pas le savoir.

Avec la découverte du feu et de l'agriculture, avec l'invention de la roue, de la ville, de l'écriture, l'affaire remonte assez loin. Elle prend un tournant décisif il y a deux millénaires et demi. En ce temps-là, un monde nouveau bouillonne. Il est déjà assez vieux. Il est encore tout neuf. C'est le printemps de l'histoire et d'une pensée qui s'éveille.

Des hommes apparaissent sur le devant de la scène et ce sont des géants. Plus grands que les Sargon d'Akkad, les Hammourabi, les Ramsès, plus grands que les Ts'in Che Houang-ti, les Gengis Khan, les Tamerlan, les Mao Tsé-toung qui viendront après eux. Non plus des chefs de guerre, des conquérants, des empereurs ou des rois. Mais des hommes de tous les jours qui se demandent ce qu'ils font là et lèvent les yeux, la nuit, vers les étoiles dans le ciel. À une centaine d'années près, Thalès et Pythagore, Héraclite et Parménide, Confucius et le Bouddha, Socrate et Platon, Eschyle et Hérodote sont tous contemporains. Des passions les agitent. Le mal les tourmente. Le monde surtout les étonne. Ils voudraient le comprendre et le dominer. À travers la géométrie, la philosophie, la mathématique, le théâtre, l'histoire telle que vous la concevez, ils cherchent la sagesse, la justice, la vérité.

Je me promenais à Milet, à Élée, dans les jardins de l'Académie, parmi les temples d'Éphèse, entre les collines devant l'Himalaya, au milieu des toges et sous les figuiers pippala. Il y avait des acteurs, des éléphants, des flûtes, des danseuses, des sibylles échevelées, des orateurs sur des tonneaux. Le ciel était d'un bleu profond. Un fleuve coulait au loin. Il s'appelait l'Ilissos. Socrate l'effleurait de son pied et son rire résonnait dans le silence. Au fond d'une caverne dont l'entrée était éclairée par le soleil brillait l'ombre de l'Éveillé.

— Je suis la sagesse, la justice, la vérité. Après tout ce que je t'ai dit, tu te doutes bien, j'imagine, que pour des créatures passagères et infirmes...

— C'est nous ? demandai-je.

La voix haussa les épaules.

— ... enfermées dans le temps et dans leur pensée embrumée, sagesse, justice, vérité sont des rêves hors d'atteinte. Ne reste à votre portée, malheureux éclats de l'esprit universel, que leur recherche sans fin.

Cette recherche sans fin, vous l'avez poussée assez loin. Sinon en sagesse, du moins en savoir. Et, plus d'une fois, vous m'avez émerveillé. Ce qui domine ton époque, tu le sais aussi bien que moi...

— Mais je ne sais rien du tout ! bredouillai-je. J'obéis aux instructions de cet Uriel qui se présentait comme ton ange : je ne suis là que pour t'écouter et pour essayer de te comprendre. Et, franchement...

— ... c'est la science. Vos savants l'ont emporté sur vos capitaines et sur vos princes, sur vos prophètes et sur vos sages. Et maintenant tout se passe comme si vous étiez en train de prendre mon relais.

Je me penchai en avant.

— Ton relais ? demandai-je.

— Le relais de l'histoire. Le relais de l'univers. Jusqu'à vous, que j'ai fait sortir du néant...

Il y avait de la tristesse dans la voix. Et peut-être une ombre d'amertume.

— ... je régnais seul. Et puis, j'ai régné avec vous. J'ai beaucoup aimé cette histoire que nous avons parcourue ensemble, côte à côte, nous disputant parfois, nous retrouvant toujours, échangeant nos promesses, nos dons, nos griefs et nos paroles d'amour. Voilà que vous entendez régner seuls et sans moi. Parce que vous pensez et que vous percez peu à peu le secret des mécanismes dont je me suis servi pour faire marcher le monde, vous vous imaginez que vous pouvez sans risque vous passer de cette ombre lointaine, de cette cause encombrante à qui vous devez tout. Vous avez préféré ne rien devoir à personne – ni à moi.

Le sexe, la violence, l'amour de l'argent et tout le saint-frusquin, je m'en tape pas mal. Vous faites bien ce que vous voulez. Et même la révolte contre moi...

— La révolte contre vous, Seigneur !

— Oui, contre moi, j'ai un faible pour elle. Le génie n'a jamais cessé de fleurir autour de moi et je ne déteste pas ceux qui s'opposent à moi. Je les préfère souvent à mes thuriféraires... Mais l'orgueil ! L'orgueil, Simon, l'῾υβρις des anciens Grecs, qui met fin aux empires et qui abat les puissants, le seul péché depuis toujours, l'orgueil s'est emparé de vous et vous a rendus fous. Je suis devenu pour vous une hypothèse inutile.

Vous aviez tout pour vous parce que je vous avais tout donné. Je vous ai rendus maîtres de votre planète. Vous étiez en mesure de dominer un univers qui vous dépassait de très loin mais que votre seule pensée suffisait à embrasser. L'orgueil vous a emportés. Il mène contre la nature et contre moi une guerre d'extermination. Simon, j'ai voulu te parler : un bandeau sur les yeux, aveuglés par la grandeur dont je vous ai fait don, vous vous ruez vers votre perte.

— Seigneur...

Je pris mon souffle et mon élan.

— ... Seigneur, comment pourrions-nous être responsables de quoi que ce soit ? C'est toi qui diriges tout. Tu m'as appris toi-même que nous étions à peine libres.

La voix gronda dans la nuit.

— Juste assez libres pour vous écarter de moi. Et bien assez libres pour réussir à vous détruire.

Un cri a retenti parmi vous : « Dieu est mort. » Dieu est mort ! Folie des hommes. Je t'ai livré le secret : Dieu ne peut pas mourir puisqu'il n'existe pas. Il n'existe pas : il est. Il est le seul à être avec plénitude, il est le seul à se confondre avec l'être. Il est, et c'est assez. Ceux qui peuvent très bien mourir, et ils vont tous mourir, mon pauvre Simon, ce sont les hommes. C'est vous.

— Je sais, Seigneur. Je n'en doute pas. Tu me l'as dit et répété : nous mourrons tous.

— Vous finirez. Un jour, les hommes ne seront plus qu'un nom qui aura passé dans l'histoire. Un jour, il n'y aura plus personne – sauf moi – pour me souvenir de votre grâce et de votre puissance. Un jour, oui, un jour... – mais un jour lointain. Dans mon rêve au moins, dans ce grand rêve du tout dont vous étiez le fleuron, votre fin inévitable intervenait plus tard. Beaucoup plus tard. Et surtout autrement. Vous aviez, dans ce rêve, encore des choses à faire qui auraient pu être immenses, des épreuves à supporter, des triomphes à remporter. Mais l'orgueil... votre orgueil... Que vous finissiez par cet orgueil qui est mon ennemi de toujours et qu'incarnait Lucifer dans vos bandes dessinées m'est la pire des douleurs.

Votre mort prématurée sera très loin de sonner le glas d'un tout qui se poursuivra sans vous. Mais elle lui ôtera son charme, son côté romanesque que j'aurai tant aimé et, en vérité, sa raison d'être. Ceux qui racontent que l'homme est un hasard dans l'univers n'auront pas beaucoup de mal à se consoler – mais il sera trop tard – de sa disparition. Sa fin ? Quelle importance ? Il était une passion inutile, il aurait pu ne pas être. Qu'il soit ou qu'il ne soit pas, c'est blanc bonnet, bonnet blanc. Moi, qui aurai mis en vous tant d'espérance et d'amour, j'éprouverai quelque chose qui ressemblera à ce que vous appelez désespoir.

Je me traînais à terre, les larmes ruisselaient sur mon visage endormi.

— Relève-toi, Simon. Rien n'est encore perdu. Parce que je t'ai parlé, le sort de tes frères t'appartient. Relève-toi. L'avenir dépend de toi. Tu répandras mes paroles parmi les hommes et tu les ramèneras à moi. Si l'histoire continue, ce sera grâce à toi.

— Ah ! m'écriai-je. Seigneur !

J'étais secoué de sanglots.

— Ah ! s'écria François. Seigneur !

Et il se prit la tête entre les mains.

Edgar le foudroya du regard.

— Fais qu'ils me reviennent et qu'ils ne se détruisent pas. Fais qu'ils me reviennent pour qu'ils ne se détruisent pas.

Je me réveillai en larmes.

— Ce pomerol, dit Edgar, c'est vraiment triste qu'il n'y en ait plus.

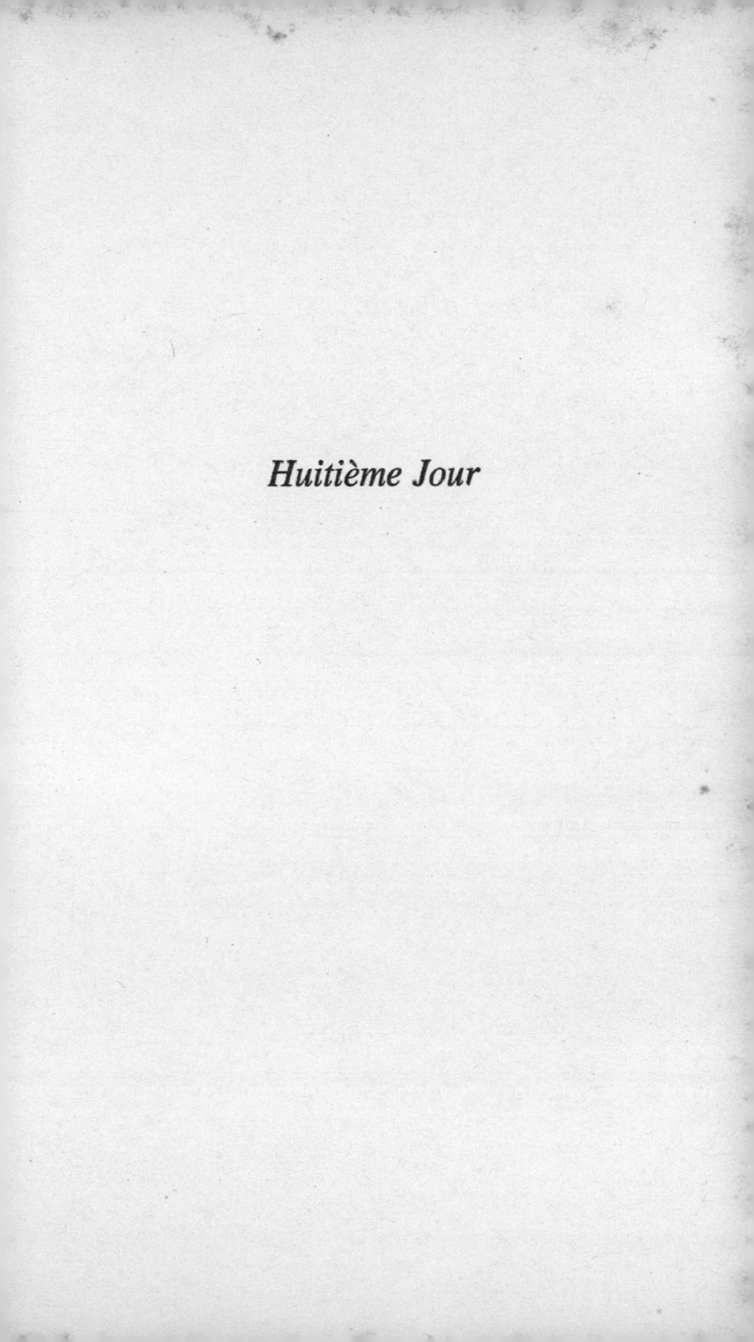

Huitième Jour

Je suis celui qui est

Nous partons – La loi et les prophètes – Ama, et fac quod vis *– Le hasard est bon garçon – Une influence occulte – Retour de Dieu à de meilleurs sentiments – Le refrain de la réaction – François croit aux hommes, et aux hommes seuls – Dieu doit beaucoup à Bach et à Simon Laquedem – Son amour pour les mots – Le monde est un secret – Énigme et mystère – Une présence en creux – La meilleure preuve de Dieu – Nécessité de son absence – Les Idées de Platon, la substance de Spinoza, la monade des monades de Leibniz – Grandeur des œuvres et de la parole de Dieu – Son silence, plus grand encore.*

Le huitième jour était notre dernier jour. C'était le jour du départ. Les bagages étaient bouclés. Nous prenions le bateau de ligne pour la civilisation et ses tracas à six heures du soir dans le petit port où les chèvres passaient entre les maisons escarpées. En dépit des prédictions de François, le cahier vert et le cahier rouge n'avaient pas réussi à gâcher notre séjour ni même à l'occuper en entier. Nous avions beaucoup nagé, nous nous étions promenés dans l'île, nous avions navigué sur notre *Aghios Nicolaos* jusqu'aux terres les plus proches. Nous avions bu et dormi. Nous avions terminé le pomerol et les cigares d'André. Nous partions.

Nous rentrions chacun chez soi, nous avions déjà la tête pleine des projets et des gens que nous allions retrouver. Les vacances sont une île. Notre île, où nous avions l'habitude de rester entre nous et de ne voir jamais personne, avait été peuplée par les rêves de Simon Laquedem. Il restait encore à lire quelques pages du cahier rouge. Mon tour était revenu. Pour la dernière fois, je m'attelai à la tâche.

***

— Simon.

— Oui, Seigneur.

— Simon, je suis ton Seigneur et ton Dieu.

— Oui, Seigneur.

— Je suis le Dieu de tes ancêtres et de ton enfance. Connais-tu encore mes lois ? Ou les as-tu oubliées ?

— Seigneur, tu le sais bien : je ne sais rien.

— Ma loi est très simple et très brève. Fais un effort : je suis sûr que tu t'en souviens.

— Je ne me souviens que d'une phrase : « Tu aimeras le Seigneur ton Dieu de tout ton cœur et de tout ton esprit. »

— C'est l'essentiel. Et encore ?

— Ah oui ! « Tu aimeras les autres comme toi-même. »

— Eh bien, voilà : voilà la loi et les prophètes.

Simon, il faut aimer ton créateur.

— Seigneur, je vivais très bien sans toi jusqu'à ton irruption dans mes nuits et dans mes rêves. Pourquoi faut-il me mettre maintenant à aimer un créateur dont je ne m'occupais pas ?

— Pourquoi ? Mais parce que tu lui dois tout : les étoiles au-dessus de toi, la pensée en toi, la lumière, le temps que tu passes dans ce monde, tes révoltes et tes doutes, les rivages sous le soleil, les villages sur les collines, les départs et les retours, les fleurs des champs, les petits matins, le soir qui tombe sur la mer, et ton corps qui n'est pas rien. Et parce que tu aimes ton créateur, il faut aimer ses créatures. Elles sont toi à travers moi, tu es elles à travers moi.

Le reste... Le reste n'a pas beaucoup d'importance. La morale n'est pas mon fort. *Ama, et fac quod vis.*

J'ai beaucoup aimé mes créatures. Si je ne les avais pas aimées, tu ne serais pas là, dans ton rêve, à écouter mes paroles.

Depuis quelques milliards de vos années, ce que vous appelez l'évolution est toujours allé dans le même sens : dans un sens qui vous était favorable. S'il s'agit de hasard, le hasard, en vérité, a été bon garçon : il a fait preuve à votre égard d'une outrageuse partialité. Tout observateur extérieur et non prévenu qui examinerait ton histoire lointaine jugerait qu'une influence occulte a dû piper les dés. L'influence occulte, c'est moi. Je n'ai jamais cessé, dans l'ombre, de jouer votre jeu.

Tout, dans votre tout qui est d'abord le mien, est réglé au millimètre près, au milligramme près, au millième de seconde près, au millième de degré près. Hasard ? Vous avez dit hasard ? Un millimètre de plus, un milligramme en moins, tout s'écroulait.

Hasard ? J'ai préparé votre venue. J'ai créé les cadres de votre future existence. J'étais à vos côtés contre le néant d'abord, contre les éléments ensuite. Vous, les fruits du hasard ? Vous voulez rire. Je vous ai, au contraire, prémunis contre lui. Et en dépit de mes menaces, je ne vous abandonnerai pas. Je vous ai protégés contre tous les périls. Je vous protégerai contre vous-mêmes.

— Ah ! ah ! s'écria François. « Je vous protégerai contre vous-mêmes... » Vous entendez ? Voilà le refrain et l'essence même de toute pensée réactionnaire. Je crois et j'espère précisément le contraire. Je crois dur comme fer que nous sommes les enfants du hasard. Le monde et moi n'avons eu besoin de personne pour devenir ce que nous sommes. Et je souhaite ardemment que personne ne se mêle de mes affaires, que personne ne décide à ma place de ce qui est bien ou mal pour moi ni de ce que sera mon avenir. Je suis d'ailleurs convaincu qu'il n'y a personne d'extérieur ni de supérieur au monde où nous vivons. Tout ce que raconte votre Simon Laquedem est pure fabulation. Il n'y a pas d'esprit universel. Personne ne nous a créés, personne ne s'occupe de nous et personne ne nous attend. Nous n'étions pas nécessaires. La pensée est un produit de notre cerveau et elle disparaît avec lui. Les hommes, et les hommes seuls, font leur propre histoire. Je n'en démordrai pas : je crois aux hommes, et seulement aux hommes.

— Vous avez fait dans le passé des choses atroces et des choses magnifiques. Vous ferez dans l'avenir des choses magnifiques et atroces. Tout change. Ma loi demeure. Vous avancez dans mon histoire qui est aussi la vôtre. Vous allez, les yeux bandés, vers votre destin inconnu. Vous abattez des forêts, vous exterminez les tigres et les éléphants, vous détruisez la beauté de la Terre que je vous ai donnée, vous vous massacrez les uns les autres, vous mettez en danger le monde où vous habitez. Et vous construisez des pyramides, des temples, des cathédrales, des mosquées. Et des tours, des ponts, des échangeurs d'autoroutes, des laboratoires de physique où vous mimez ma création. Vous peignez des songes, des printemps, des crucifixions, des Madones, des oies sauvages et des pommes. Vous composez des cantates et des opéras. Crois-tu que j'ignore ce que je dois à Bach et à Mozart ? À Giotto, à Lippi, à Carpaccio, à Piero della Francesca, à Raphaël, à Michel-Ange, à Vinci, à Titien, au Tintoret, pour rester dans le même coin ? À tous les autres. Et à toi.

— Il ne se mouche pas du pied, remarqua André.

— Et crois-tu que je méprise ceux qui construisent des marionnettes, ceux qui sculptent des flûtes dans du bois, ceux qui fabriquent des masques ? Tous, vous avez plus fait pour moi que mes martyrs et mes saints. Tous, quelque chose de divin vous permet de participer à ma divine création.

J'ai aimé plus que tout votre parole et vos mots. Les chants qui s'élevaient dans vos temples, dans vos synagogues, dans vos églises, dans vos mosquées, dans vos pagodes. Sur vos plaines et dans vos vallées. Sur les mers parcourues par vos navires et vos voiliers. Vos longs poèmes de guerre, de voyages et d'amour.

Vos lettres à vos amis, à vos enfants, à ceux ou celles que vous aimez. Ô bien-aimé... Ô bien-aimée... Vos cris de révolte et de désespoir. Comme j'ai aimé ces mots qui descendaient sur vous et qui montaient jusqu'à moi ! J'ai laissé ma marque sur chaque intonation, sur chaque silence de votre langage.

Je suis le Dieu des mots comme je suis le Dieu de la lumière, de l'eau, du feu, de l'été, de la danse, des baleines ou des corps. Toutes les fois qu'un sentiment, une pensée, un bonheur, un chagrin vous arrache à vous-mêmes, c'est moi qui me penche vers vous pour vous prendre dans mes bras.

— Ce que j'admire surtout chez les hommes, murmura François, c'est leur solitude et leur courage. Ils n'ont rien ni personne pour leur servir de modèle ni pour leur donner des leçons. Ils inventent chaque matin ce qu'ils seront le soir.

— Si je n'étais pas là, il n'y aurait dans le monde ni grâce ni pardon. Il n'y aurait ni grandeur ni amour. D'où crois-tu que vous vienne l'élan qui vous transporte vers la beauté, la pitié, le sacrifice ?

— Des hommes, coupa François. Ils sont seuls dans un monde absurde. Il n'y a que leur action pour lui donner un sens.

— Je suis le Dieu caché, séparé de vous par des immensités, dissimulé dans les lointains, réfugié dans mes lois pour vous permettre à la fois de me nier et de me découvrir. Ce qu'il y a de plus beau dans l'univers, ce qui lui permet d'avancer sans s'effondrer dans la platitude et dans l'ennui, c'est qu'il est un secret.

— C'est une énigme, dit François. Nous sommes en train de la résoudre. Un jour, nous la résoudrons.

— Le mal est un mystère. Le monde est un mystère. Je suis moi-même un mystère. Et il ne sera pas dissipé avant la fin des temps.

À ceux-là même qui me nient, qui pensent que la vie n'a pas de sens et qui choisissent l'absurde contre le mystère, mon absence est si odieuse qu'il ne t'est pas interdit d'y voir comme la marque en creux de ma présence. Depuis toujours, vous levez les yeux vers le ciel étoilé, vous vous effrayez des abîmes que vous sentez s'ouvrir en vous. Pourquoi, si je n'étais pas, vous demanderiez-vous si je suis ? Même pour ceux qui me haïssent ou m'ignorent, je suis, par mon absence, leur raison ignorée de penser et d'agir.

— C'est encore long ? demanda André. Il est déjà tard. Nous n'avons plus beaucoup de temps. Le bateau...

— C'est presque fini, lui répondis-je. Il reste quelques feuillets.

— Si je me découvrais à vous, le monde s'arrêterait. Il n'aurait plus de raison d'être. Ce serait la fin des temps. Aussi longtemps que l'univers et votre histoire se poursuivent, mon absence nécessaire, revers éclatant de ma présence, reste le ressort secret de la marche du tout.

Vous n'avez jamais cessé de me chercher. Vous ne cesserez jamais de me chercher. La meilleure preuve de Dieu, ce ne sont pas les miracles, les prophètes, les martyrs, les discussions des conciles, les débats des rabbins ou des ulémas, les arguments ontologiques depuis longtemps émoussés : c'est votre inquiétude et votre chagrin. Et c'est votre espérance.

Je suis la sagesse. Et je suis la folie. Je suis le rire des enfants. Et je suis votre agonie. Je suis le Dieu de lumière. Et je suis le Dieu de l'ombre et de la nuit. Je suis le Dieu du savoir. Et je suis le Dieu du doute. Simon, tout ce que tu peux imaginer, et bien au-delà de ce que tu peux imaginer, je le suis de tout temps et au-delà du temps.

Je suis l'être et la sphère de Parménide, le démon de Socrate, les Idées de Platon, l'unité trinitaire du Souverain Bien de Plotin, le premier moteur et l'acte pur d'Aristote, le Dieu de liberté et de véracité de Descartes, le Dieu d'Abraham, d'Isaac et de Jacob pour Pascal, la substance de Spinoza et sa nature naturante, la monade des monades de Leibniz, l'idée pure a priori de Kant, l'esprit absolu de Hegel, le paradoxe, la croix et l'instant pour Kierkegaard, l'élan créateur et l'intuition de Bergson, la clairière de Heidegger, la patrie cachée et le chiffre de Jaspers. Je suis ma propre absence chez Nietzsche, les boutons d'or dans vos prairies, le désespoir au cœur des hommes, la blancheur de la neige quand la neige est partie et, chez toi, Simon, la stupidité atterrée de ton indifférence.

— Seigneur..., murmurai-je.

— Ne dis rien, Simon. Ne parle pas. Écoute-moi.

— Parle, parle, Seigneur. Ton serviteur écoute.

— Moi aussi, Simon, je vais finir par me taire. Tu ne m'entendras plus. Tu dormiras sans rêves. Tu te réveilleras dans le bruit de ce monde qui n'est qu'un autre rêve et dans mon silence toujours si plein de moi.

— Ne me quitte pas, Seigneur ! Ne me quitte pas. Je n'ai que toi pour survivre.

— Tu as le monde : c'est moi. Tu as les autres : c'est moi. Tu as le silence et mon absence : c'est encore moi. Et tu as toi : c'est moi.

— Il exagère, dit François.

— Qu'est-ce que que vous voulez que je vous dise ? grogna Edgar, ce Simon m'intéresse.

— Ah ! bien sûr ! dit André, il est fou : c'est un gibier pour toi.

— Vous permettez que je termine ? demandai-je.

— Vas-y ! dit André. Mais ne traîne pas trop.

— Je fais ce que je peux. Je lis à toute allure. Je cours plus vite que mon ombre.

— Tu ne parleras pas de moi. Avant de me rejoindre dans le néant et dans l'éternité, tu continueras à vivre pour encore un bout de temps. Tu te souviendras de mes paroles. Tu ramèneras les hommes à moi à travers mes œuvres et les leurs. Quand tu verras la beauté à tomber des couleurs et des dessins créés par la nature ou recréés par l'art ; quand tu lèveras les yeux vers les millions de clous d'or plantés dans la nuit tremblante ; quand tu entendras des sons dont la combinaison t'emportera ailleurs et te brisera le cœur ; quand tu liras des mots qui t'élèveront au-dessus de toi-même et te feront entrer dans des mondes inconnus, tu sauras que c'est moi. Et quand le malheur te frappera et que tu seras triste à mourir, tu sauras que c'est moi. Quand je ne te parlerai plus, je serai plus proche de toi dans le silence que je ne l'ai été par mes paroles.

— Ne me quitte pas, Seigneur ! Tu m'as donné l'habitude de ton éternité. Que ferai-je sans toi, dans l'illusion de ce monde qui est le rêve de Dieu ?

— Tu vivras. C'est ce que tu peux rêver de plus beau. Et tu sauras que tu n'es pas seul puisqu'il y aura autour de toi ce que j'ai fait de mieux et de plus semblable à moi : des hommes comme toi qui sont moi.

Je te remets à eux. Que je puisse rester avec toi, tu n'y as jamais cru. Je regagne mon absence. Tu retournes chez les tiens. J'espère t'avoir appris qu'ils sont mon image passagère dans l'histoire et dans le temps. Il ne sert à rien de crier : « Seigneur ! Seigneur ! » Il est trop facile d'aimer qui est toujours ailleurs. Il faut aimer ceux qui sont là, autour de toi, avec toi. Il faut aimer tes semblables qui sont semblables à moi.

Tu te réveilleras. Tu ouvriras les yeux. Et je serai reparti. La tendresse, la générosité, le courage seront toujours parmi vous. Ils appartiennent à l'histoire. Ils n'existent que par vous.

Simon, tu seras très gai. Parce que tu as la chance d'être tombé dans le temps et d'être venu au monde. Tu te moqueras de tout, et de toi, parce que je t'aurai parlé. Et, tout au long de l'histoire que je vous ai donnée, tu feras à chaque instant comme si je n'y étais pour personne ni pour rien.

— Seigneur ! m'écriai-je, ne me laisse pas sans instructions ! Que me faut-il pour t'être fidèle ?

— Comme si tu l'ignorais ! Tu le sais depuis toujours. Je te laisse un trésor qui est à vous et à vous seuls. C'est un Graal hors du temps. Vous ne l'épuiserez jamais. Vous ne l'atteindrez même jamais. Ce qui fait son prix inestimable, ce n'est pas sa possession qui vous est interdite, c'est le chemin qui mène à lui.

— Ne pars pas sans me dire quel est ce trésor inconnu !

— Tu le connais. Adieu. Je te quitte. Tu sais ce que tu peux savoir. Souviens-toi de moi. Et oublie-moi.

— Quel trésor, Seigneur ? Quel trésor ?

— Mais la grandeur, Simon. L'humilité et la grandeur. Car tu n'es rien, et tu es tout. La justice. La vérité. Et le reste. Tu trouveras bien toi-même. Et l'amour, bien entendu, qui tient ensemble tout ce qui existe.

Votre monde est beau. Il est secret, et il est beau. Et ta vie, plus belle que tout.

Je rêvais. Le monde était la musique et la parole de Dieu. Une grande paix régnait d'où le mal n'était pas exclu. Je souffrais. J'étais heureux. J'allais mourir. Je vivais. J'aurai souffert. J'aurai vécu. J'étais là et ailleurs. Dieu était absent et son absence se confondait avec sa présence éternelle. Je n'étais rien, comme toujours, et j'étais le tout puisque je lui appartenais et que je le pensais.

Je me réveillai. Le monde était plein de lumière.

Je ne craignais plus la mort. Les autres me ressemblaient. Je me jetai sur un carnet qui traînait par là et j'écrivis :

« Je suis un homme de Dieu. Je n'y peux rien : un ange m'a touché de son aile... »

— Ah non ! s'écria François. Nous n'allons pas recommencer...

— C'est fini, murmurai-je.

— Ah ! dit André.

— Tant mieux, dit François.

— Alors ?..., demanda Edgar. Votre opinion ?...

— Mon opinion, lança André, est qu'il n'y a pas une minute à perdre. Le bateau nous attend.

— Et il n'attend pas, ajoutai-je.

Edgar jeta dans son sac le cahier vert et le cahier rouge et nous quittâmes – ah ! c'était bien... – la maison blanche et la cour peinte en bleu où, à l'ombre du grand figuier, nous avions passé huit jours avec Simon Laquedem. Et ses rêves peuplés de Dieu.

Épilogue

Le surlendemain de notre retour, un mercredi, une même lettre parvint à Edgar, à André et à François. Tous les trois reconnurent aussitôt l'écriture du cahier vert et du cahier rouge.

Le billet était très bref :

Je vous ai bien eus.

Votre serviteur et ami,
Simon Laquedem

Entre Edgar, André, François et moi, successivement et en tous sens, le téléphone crépita.

J'avouai.

Le soir même, ils débarquaient chez moi. Il y eut des éclats de voix et une explication, des insultes et des rires. J'avais préparé, par précaution, de quoi apaiser les esprits. Des cigares circulèrent. Les boissons fortes coulèrent à flots.

***

Le vendredi matin, en jetant un coup d'œil sur mon courrier, j'eus la surprise de tomber sur une enveloppe dont l'écriture m'était familière.

Je l'ouvris, intrigué.

À l'intérieur, sur une feuille blanche, toujours de cette même écriture que je connaissais bien, étaient tracés huit mots :

Et toi, qui dis-tu que je suis ?

J'appelai Edgar. J'appelai André. J'appelai François. Il me sembla qu'ils n'étaient pas mécontents de me voir, à mon tour, en proie à l'incertitude et à une sorte de désarroi. Ils me jurèrent tous les trois leurs grands dieux et sur notre vieille amitié, mais j'avais du mal à les croire, qu'ils n'étaient pour rien dans cet envoi et qu'ils tombaient des nues. Allez savoir.

Le roman d'une vie

Une fête en larmes
Jean d'Ormesson

Cet homme, ce causeur éblouissant qui parle à une jeune femme d'aujourd'hui, a beaucoup reçu en partage : la naissance, la fortune, la réussite temporelle, le talent et le charme. Il a toujours placé au-dessus de tout la littérature, qui exige solitude et travail. Et c'est ainsi qu'il est devenu l'un des écrivains préférés des Français… Le temps de ce voyage mélancolique et enchanteur à travers ses souvenirs, il se fait professeur de beauté, d'intelligence et de bonheur, un maître d'une certaine philosophie de l'existence. Et cet ouvrage devient un livre de chevet.

(Pocket n° 13066)

Cet ouvrage reproduit par procédé photomécanique a été achevé d'imprimer sur les presses de

*à Saint-Amand-Montrond (Cher)
en septembre 2007*

POCKET - 12, avenue d'Italie - 75627 Paris Cedex 13

— N° d'imp. : 71405. —
Dépôt légal : septembre 2007.

Imprimé en France